INTERNET para todos

INTERNET para todos

ANAYA
MULTIMEDIA

TÍTULO ESPECIAL

Edición española:

© EDICIONES ANAYA MULTIMEDIA (GRUPO ANAYA, S.A.), 2013
Juan Ignacio Luca de Tena, 15. 28027 Madrid
Depósito legal: M-1147-2013
ISBN: 978-84-415-3337-0
Printed in Spain

*A mi esposa Anahis y a mis hijos Leandro y Martín; mis socios
en la mejor empresa que he montado hasta ahora: mi familia.*

—Javier Gosende

*Para todos vosotros es este libro. Para quienes, como yo, se dejan seducir
por el fantástico mundo de la tecnología y la información...*

—Alberto Martínez

AGRADECIMIENTOS

Agradezco a mi editor Eugenio Tuya, @EugenioTuya por proponerme ser coautor en este libro donde he tenido la oportunidad de ayudar a los que quieren dar sus primeros pasos en Internet

—Javier Gosende

Agradezco a mi editor Eugenio Tuya, @EugenioTuya y su colaboradora Natalia Acosta, sin su esfuerzo y porfía este libro nunca hubiera visto la luz.

—Alberto Martínez

ACERCA DE LOS AUTORES

Javier Gosende, @javiergosende es un reconocido especialista en el campo de la consultoría y la formación del Marketing Online con más de 5 obras publicadas por esta misma editorial.

Luis Alberto Martínez es especialista en redes sociales y fotógrafo especializado en viajes. Su aguda visión del mundo avala este manual.

Índice de contenidos

3. Requisitos para conectarse a Internet   67

4. La búsqueda de información en Internet   83

5. Seguridad en Internet   109

10. Marketing de un sitio Web   209

11. Emprender en Internet   231

Glosario   245

Índice alfabético   267

Introducción

Muchas cosas han pasado desde que Internet viera la luz masivamente a comienzo de los 90. Lo que comenzó como objetivo de comunicación de una red militar se ha convertido en la columna vertebral de la sociedad de la información y de las comunicaciones de todo el mundo. Este libro es para aquellos que empiezan sus andares por la red de redes. Si verdaderamente usted quiere aprovecharlo, le será muy útil toda la información sobre terminología incluida en el primer capítulo.

Pretendemos abarcar todo el abanico de preguntas comunes en los recién comenzados. Aunque nos hemos basado principalmente en un PC trabajando bajo Windows y sus programas básicos, no nos hemos olvidado de otras plataformas como Mac y de los navegadores Web más importantes del mercado. Este libro puede ser útil para cualquier usuario más allá de la plataforma que utilice. Nuestra intención es que tenga a mano en cualquier momento, todos los conceptos más importantes de Internet, sus tendencias actuales y las claves del futuro.

Adicionalmente, este manual es un complemento excelente para cursos de sobre Internet. El lenguaje sencillo utilizado en la obra, alejado de términos informáticos sofisticados, esta enfocado a usuarios que están dando sus primeros pasos. En definitiva, este es el mejor acompañante para considerar los beneficios que la Web ofrece y cómo se pueden aprovechar de manera útil. Esperamos que, unido a su ingenio personal, a sus deseos de aprender e imaginar, tenga todo lo que usted merece y necesita. Los trucos, consejos y soluciones que aquí se encuentran le servirán para toda su vida.

1. Introducción

INTRODUCCIÓN

Cuando decidimos incursionar en un nuevo terreno, es posible que ya sepamos algo acerca de él, pero también sabemos que el resto hay que aprenderlo. Ese "algo" que conocemos es la base para comenzar, pero no podemos conformarnos solo con eso.

Una actividad como Internet, tal y como nos la planteamos, al alcance de todos, necesita que se le dedique tiempo. El estudio debe comenzar por ampliar nuestros conocimientos sobre la terminología de la red. Entonces, hagamos un poco de historia para saber por qué, hoy por hoy, es el medio de comunicación más importante que existe.

HISTORIA Y EVOLUCIÓN DE INTERNET

La historia de los descubrimientos tecnológicos está llena de curiosidades. Hechos en apariencia simples se han convertido en verdaderas transformaciones económicas y sociales. Éste es el caso de Internet. Su historia comenzó hace tres décadas, cuando la comunidad científica buscaba ávidamente una forma rápida y efectiva de compartir información, conocimientos y éxitos.

El hombre siempre ha recopilado y almacenado información. El surgimiento de los ordenadores propició el establecimiento de una plataforma abierta donde intercambiar documentos estructurados de forma fiable y universal. Los ordenadores estaban vinculados entre sí para almacenar la información entre universidades, organizaciones de defensa y sitios gubernamentales, pero no contaban con un estándar común con el que comunicarse, ya que la información no pasaba entre sistemas diferentes. Por lo tanto, la conexión entre sistemas y la transferencia de documentos o datos constituían un problema.

En este contexto, a finales de los años 60 nació la ARPAnet (*Advanced Research Projects Agency)* que puso a disposición de los científicos una red análoga llamada NSFnet, creada por la NSF (*National Science Foundation*). Esta red permitió la conexión entre muchas universidades y desarrolló un nuevo sistema de comunicación para desarrollar protocolos, denominados conmutación de paquetes.

La idea consistía en que si un determinado nodo se perdía por un posible ataque enemigo, la información no se vería afectada, sino que encontraría la forma de llegar a su destino. En este sistema, los mensajes de datos eran transmitidos en diferentes paquetes, cada uno de ellos con la información de procedencia, destino, número de orden dentro del mensaje e información sobre el control de errores. Estos paquetes podían tomar diferentes caminos en función de la saturación de la red, y rehacerse completamente al llegar a su destino. Así comenzaron a crecer las redes.

Esa red de transmisión de datos tenía en principio objetivos estrictamente militares, encaminados a mantener las comunicaciones a cualquier precio en caso de un ataque nuclear. Su creación atrajo de inmediato la atención de los profesionales del mundo entero.

En la década de los 70 apareció el *Protocolo de Control de Transmisión/*Protocoo de Internet (TCP/IP), en el que se basan los servicios de Internet y los mensajes de correo electrónico. Los estándares desarrollados en ese período pasaron en los años 80 a la 'Agencia de Comunicaciones de Defensa del Departamento de Defensa de los Estados Unidos', que se convirtió en su guardián hasta que se pasaron al Internet Architecture Board cuando surgió el boom de Internet.

A finales de los 80, la cantidad de usuarios conectados a la red creció notablemente y, lo que es más importante aún, comenzó a internacionalizarse. Entonces el uso de la red se limitaba a intercambiar *mails* y a disponer de una biblioteca global con la información más actualizada del planeta. Identificar y localizar una información determinada era una tarea difícil. Comenzó a vislumbrarse la posibilidad de conectar todas las redes existentes en el mundo, pero para conseguirlo era necesario crear una forma estándar de almacenar los datos que pudiera verse desde cualquier plataforma informática. Así surgió la Web. Su inventor, el investigador Tim Berners-Lee, indagaba cómo los ordenadores podían almacenar información con vínculos aleatorios y propuso la idea de un espacio hipertexto global en el que cualquier información accesible por red se podía referenciar por medio de un único Identificador Universal de Documento.

En 1989 desde el CERN (*Conseil Européen pour la Recherche Nucléaire*, 'Organización Europea para la Investigación Nuclear') con sede en Suiza; Berners-Lee presentó un software basado en protocolos que permitían visualizar la información utilizando el hipertexto.

Estos avances cambiaron todo el concepto de lo que podía realizarse con una red de ordenadores, extendiendo su alcance a límites hasta ese momento desconocidos. Con esta especie de pseudolenguaje era posible incrustar objetos, como imágenes y vídeos, así como referencias en forma de vínculos; los muy conocidos *links*, a través de los cuales es posible visualizar y acceder a otros documentos, no sólo del propio ordenador, sino también de ordenadores remotos, e incluso generados y almacenados en plataformas diferentes.

Así nació HTML (*HyperText Markup Language* o Lenguaje de etiquetas de Hipertexto), que se convertiría en el estándar de diseño Web en los años posteriores. También se desarrollaron otras especificaciones como URI e *HiperText Transfer Protocol* (http) o Protocolo de Transferencia Hipertexto publicadas en el primer servidor y que lograron una amplia difusión.

Estas especificaciones se extendieron rápidamente entre los profesionales. Desde 1991 a 1994, la carga en el primer servidor Web `info.cern.ch` aumentó diez veces cada año. De inmediato, un grupo de estudiantes de la 'Universidad de Illinois', entre los que destacaba Marc Andreessen, se dedicó a mejorar aspectos del mismo, especialmente la adición del GUI (*Graphical User Interface*) que sirvió de base para adaptar el lenguaje al entorno gráfico Microsoft Windows.

Llegó entonces un tiempo de crecimiento vertiginoso e imparable. Se desarrollaron varios navegadores para diferentes tipos de ordenador. Con el lanzamiento del navegador Mosaic por la NCSA (*National Center for Supercomputing Applications*) la red comenzó a ser accesible para todos los públicos. Andreessen y otros investigadores fundaron la Netscape Communication Corporation que produjo la primera versión de este navegador, y Microsoft, para no quedar a la zaga, lanzó Microsoft Internet Explorer, dando inicio a la llamada batalla de los navegadores por el dominio del mercado, fenómeno que fomentó la aparición arbitraria de formas no estándares del HTML.

Desde entonces la Web ha crecido más rápido que cualquier otro medio tecnológico conocido. La palabra Internet entusiasma a casi todos y nadie quiere perder la oportunidad de disponer de la última y más avanzada información, con libre acceso a los sitios más remotos y en los más variados formatos.

Para definir una dirección futura, Tim Berners-Lee creó el *World Wide Web Consortium* (W3C) en 1994, www.w3.org, que desde entonces interviene como un foro neutral donde empresas y organizaciones pueden discutir y ponerse de acuerdo sobre nuevos protocolos informáticos. Esta entidad, sin ánimo de lucro, está financiada por un número importante de miembros corporativos, entre los que destacan los conocidos Compaq, Microsoft, AOL, Sun y AT&T, entre otros. Su objetivo principal es desarrollar estándares tecnológicos disponibles para todos, que garanticen el crecimiento homogéneo de la Web. Entre los más conocidos están el propio HTML, CSS (*Cascading Style Sheets*), XML (*Extensible Markup Language*) y DOM (*Document Object Model*).

El hecho de trabajar con estándares facilita a programadores y diseñadores la compatibilidad necesaria para crear sitios Web, dinámicos, eficaces y descargables desde cualquier dispositivo o plataforma.

Aquellas tecnologías, desarrolladas en sus orígenes con el fin de solucionar las necesidades básicas de comunicación entre militares y científicos, sirvieron de base para crear un escenario especial que pronto se convirtió en el medio de comunicación, cooperación y comercio más grande e importante del mundo.

CONECTARSE A INTERNET. TERMINOLOGÍA

Desde el punto de vista informático, una red es un conjunto de dispositivos digitales, fundamentalmente ordenadores, conectados entre sí para compartir e intercambiar información a través de un medio físico.

Internet está estructurada en millones de redes de ordenadores interconectadas entre sí y distribuidas por todo el mundo. Esta red permite la comunicación a través de distancias enormes a una velocidad vertiginosa. Tener una idea general de cómo funciona la red y cuáles son los componentes implicados en el proceso, permite solucionar los problemas básicos de conexión que puedan surgir. De cualquier forma, tenga a mano un buen técnico en caso de que se presenten problemas más complejos.

Cómo funciona Internet

Internet está constituida por millones de recursos, principalmente ordenadores con una dirección definida, conectados entre sí.

Este conjunto conforma la red más grande de la tierra con expectativas infinitas; pero ¿cómo están organizados estos ordenadores?

Internet debe analizarse desde diferentes niveles jerárquicos. El principal nivel lo componen menos de una decena de grandes compañías que son los proveedores principales y poseen las redes interurbanas de alta velocidad, que son columna vertebral de Internet. Estas redes pasan por las ciudades principales del mundo y se interconectan en puntos determinados. La infraestructura sobre la que funcionan es fundamentalmente la red telefónica mundial. Estas líneas son gestionadas por las grandes compañías de telefonía, algunas incluso sólo para la transferencia de datos. También están los cables submarinos, los enlaces de satélite y las redes de fibra óptica, entre otros.

Cualquiera que quiera conectarse a esta red principal debe pagar grandes sumas de dinero. Eso sí, estas compañías no se cobran entre sí.

Los proveedores de segundo nivel poseen pequeñas redes regionales y deben pagar a los principales proveedores por sus servicios. La mayor parte de las compañías que proporcionan acceso a Internet están en este grupo. Los proveedores de tercer nivel son aún más locales y se conectan con los proveedores de segundo nivel. Gracias a esta interconexión es posible la comunicación y el intercambio de información entre millones de personas y empresas en tiempo real.

Aparte de los ordenadores, existen otros dispositivos para garantizar la comunicación como son los *switches*, *routers y modems*, cada cual con un papel específico en el proceso de conducir y regular el tráfico de datos.

Internet basa su trabajo en un esquema cliente-servidor donde el ordenador local, que solicita y recibe la información desde un navegador, es el cliente y el ordenador remoto que contiene y transmite la información, es el servidor. Así, se distingue entre las máquinas que tienen la información y las máquinas que la piden para recuperarla.

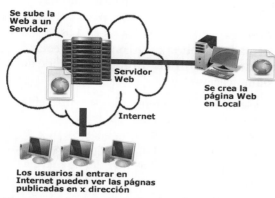

Figura 1.1. Esquema de Cómo Funciona Internet.

Los *switches* son dispositivos para unir varios ordenadores en red. Asignan un ancho de banda a cada ordenador y lo controlan de forma activa.

> **Nota:** El servidor es un ordenador potente conectado a la red informática que ofrece diversos servicios. El servicio principal es el alojamiento de páginas Web, que en ocasiones es gratuito. El término en inglés *host* es utilizado por los especialistas para denominar al servidor.

Los equipos encargados de garantizar la interconexión entre las redes de ordenadores son los enrutadores centrales o *routers*. Un enrutador puede interconectar diferentes segmentos de una red, y en ocasiones hasta redes enteras, controlando el paso de los paquetes de datos entre las redes. Los enrutadores centrales se conectan con otros enrutadores, creando un gran entretejido de comunicación.

La esencia de la existencia de este entretejido de enrutadores es proporcionar vías alternativas para el flujo de datos cuando se pierde algún enrutador, lo que puede suceder, por ejemplo, cuando hay un fallo de energía eléctrica.

La naturaleza descentralizada y entrelazada de Internet garantizará siempre la comunicación entre los equipos. Ésta es la razón por la que la red nunca se pierde, salvo que haya una catástrofe de proporciones mayores. Los enrutadores utilizan los protocolos de enrutamiento para comunicarse entre sí y compartir información, a partir de lo cual deciden la ruta más adecuada en cada momento para enviar un paquete.

> **Nota:** Un *router* mantiene las conexiones entre dos o más redes y permite la comunicación entre ellas. Llamamos enrutar a encontrar un camino entre un receptor y un emisor.

Protocolo TCP/IP. El lenguaje de Internet

Para garantizar la comunicación y el tráfico digital, los ordenadores siguen determinadas reglas. Estas reglas son llamadas protocolos, estándares previamente establecidos para controlar el tráfico de los paquetes de información a través de la red. Existen muchos tipos de protocolos y cada uno de ellos cumple una función específica.

> **Nota:** Un protocolo es un software que implementa un conjunto de reglas y procedimientos imprescindibles para que los ordenadores se entiendan; son las normas que permiten que cliente y servidor intercambien información.

No es necesario comprender cómo funcionan los protocolos para trabajar en Internet. En informática lo principal es tener un software para hacer que las máquinas funcionen y una interfaz que garantice la interacción entre la máquina y el usuario. Con Internet sucede lo mismo.

El protocolo TCP/IP proporciona la estructura básica del software para la transmisión de datos entre redes de ordenadores. Se llama TCP/IP, en referencia a los dos protocolos más importantes que lo componen: Protocolo de Control de Transmisión (TCP) y Protocolo de Internet (IP). Estos dos protocolos fueron los primeros en definirse y son los más utilizados. El protocolo TCP/IP es la base de Internet, y permite interconectar ordenadores con diferentes sistemas operativos. TCP/IP proporciona el esquema de dirección para que los ordenadores se comuniquen en Internet a través de una dirección IP, como puede ser **18. 15. 638. 1.**

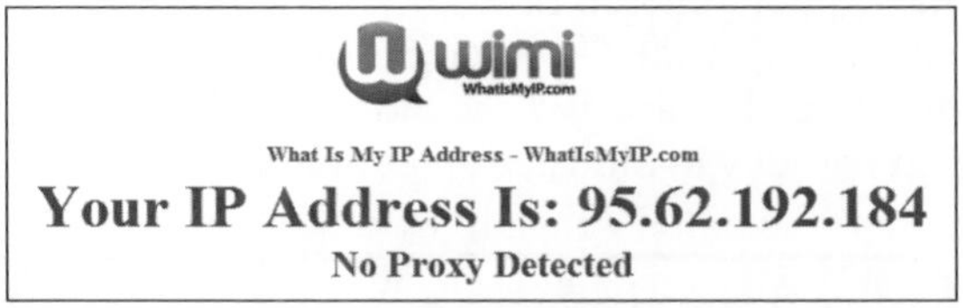

Your IP Address Is: 95.62.192.184
No Proxy Detected

Figura 1.2. Con la página Web http://www. whatismyip.com/ podemos saber cuál es el número de IP de nuestra conexión a Internet.

Como protocolo, TCP/IP es mucho más que un sistema de direccionamiento, ya que además de proporcionar un marco y el lenguaje común para Internet, ofrece una estructura abierta para múltiples propósitos creativos. Los programadores pueden escribir aplicaciones que aprovechen su estructura y características, creando los llamados servicios del TCP/IP. El más conocido TCP/IP es HTTP (*Hypertext Transfer Protocol*), que se utiliza para acceder a las páginas Web, usando un navegador Web para recuperar, interpretar y mostrar las páginas Web.

Llegados a este punto, ya tenemos una red enorme funcionando maravillosamente. Los enrutadores conectados a través de los cables de alta velocidad y los protocolos TCP/IP garantizando la comunicación y los servicios.

SERVICIOS DE INTERNET

Esencialmente, Internet se usa para buscar y compartir información. Hay diferentes formas de acceder a esta información, lo que genera diversos servicios de Internet. Los principales servicios son los siguientes:

Navegación Web

La Web es la interfaz gráfica de Internet. La navegación Web consiste en consultar sitios a través de direcciones o utilizando los hipervínculos que hay en las páginas. Si Internet es un conjunto de redes para el intercambio de información digital utilizando protocolos, la Web es la encargada de encontrar, trasladar y publicar esa información.

> **Nota:** La Web es el mayor medio de comunicación que existe; es una fuente de diversidad y creatividad, de difusión, de exposición de ideas y criterios de auténtica libertad.

Entre tanta mezcla de realidades y sueños, la Web es la forma principal que existe en Internet para transmitir información con enormes posibilidades comerciales implícitas que aseguran su futuro. En la Web el elemento básico son las páginas Web. Una página Web es un archivo que contiene la descripción de la página en lenguaje HTML.

HTML es un lenguaje para definir marcas de hipertexto que se explica con más detalle en el capítulo 2. Además, describe la estructura y el contenido de las páginas Web. A los comandos que implementan las marcas se les llama *tags* o etiquetas. Estas etiquetas describen el diseño de la página y contienen información, como el texto o las rutas de acceso a las imágenes. Incluye además los hipervínculos hacia otras páginas. Los hipervínculos son elementos resaltados, imágenes o textos que permiten vincular una página con otra haciendo clic con el ratón.

Los sitios Web se alojan en servidores que funcionan con software especializado, llamados servidores Web, y que para su funcionamiento implementan el protocolo HTTP (*hypertext transfer protocol*). Este protocolo está diseñado para transferir los sitios y páginas Web, las páginas HTML (*hypertext markup language*), que además de los textos, enlaces, figuras, formularios, botones y otros objetos incrustados, incorporan otras características especiales como tablas, *scripts* escritos en otros lenguajes y efectos dinámicos, como las animaciones y los reproductores de música.

Un servidor Web se mantiene a la espera de las peticiones HTTP que realizan los navegadores como *Internet Explorer*. El navegador realiza una petición al servidor y éste responde entregando el contenido que el navegador solicita. El servidor responde al cliente enviando el código HTML de la página; el navegador, una vez recibido el código, lo interpreta y lo muestra en pantalla.

> **Nota:** HTTP y HTML están estrechamente relacionados, pero no son el mismo término. HTML es un lenguaje de programación y un formato de archivo, mientras que HTTP es un protocolo.

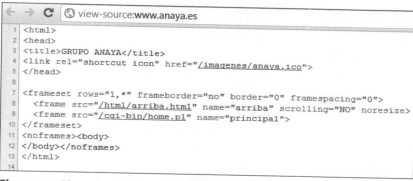

```
     view-source:www.anaya.es
1   <html>
2   <head>
3   <title>GRUPO ANAYA</title>
4   <link rel="shortcut icon" href="/imagenes/anaya.ico">
5   </head>
6
7   <frameset rows="1,*" frameborder="no" border="0" framespacing="0">
8     <frame src="/html/arriba.html" name="arriba" scrolling="NO" noresize>
9     <frame src="/cgi-bin/home.pl" name="principal">
10  </frameset>
11  <noframes><body>
12  </body></noframes>
13  </html>
14
```

Figura 1.3. Ejemplo de Lenguaje HTML tomado de la programación de un sitio Web.

No es necesario conocer HTML para diseñar una página, pero sí debe saber que HTML es el lenguaje en que se escriben las páginas Web. Una vez que conoce qué es una página Web, es sencillo imaginar qué es un sitio Web. Un sitio Web es un grupo de páginas Web relacionadas entre sí. A partir de la página principal o de Inicio, que es la que se abre generalmente al acceder al sitio, puede crear una serie de páginas relacionadas a través de hipervínculos.

Aunque es usual que relacionemos la Web con ordenadores personales, cada vez es más común su uso en otros dispositivos digitales. Los teléfonos móviles, los organizadores personales (PDA) y las consolas de videojuegos son un ejemplo del alcance de la Web. Este fenómeno se incrementará en el futuro y cada vez más dispositivos tendrán acceso a la multifacética Web.

Figura 1.4. La Web se consulta en muy variados dispositivos.

El navegador es el encargado de interpretar el código HTML, es decir, mostrar las fuentes, los colores y la disposición de los textos y objetos de la página; el servidor sólo se limita a transferir el código de la página sin llevar a cabo ninguna interpretación de la misma. Puede hacer clic en un enlace de una página Web y trasladarse de forma inmediata a un servidor situado en cualquier parte del mundo. Esto es precisamente lo fascinante de la Web. Tener acceso a cualquier información, donde quiera que esté, con un solo clic de ratón.

Correo electrónico, e-mail

Fue uno de los primeros servicios incorporados a Internet. Conocido también por el término inglés *e-mail*, permite a los usuarios enviar y recibir mensajes instantáneos mediante sistemas de comunicación electrónicos. Estos mensajes no son únicamente textos, también es posible incluir imágenes, sonidos, vídeos e incluso programas ejecutables. El correo electrónico se ha convertido en una de las formas de comunicación interpersonal más utilizadas del momento. Su eficiencia y bajo costo han logrado que sustituya al correo postal tradicional. El protocolo utilizado en este intercambio garantiza una absoluta compatibilidad en el intercambio de mensajes. El programa para manejar correo electrónico más conocido es Microsoft Outlook Express, que realiza una gestión total de cada una de las cuentas de correo de un usuario.

Los grupos de noticias, newsgroups

Este servicio permite el intercambio de opiniones e información sobre aficiones comunes.

Los grupos de noticias son un medio de comunicación en el cual los usuarios leen y envían mensajes textuales a distintos tablones distribuidos entre servidores, con la posibilidad de recibir y contestar los mensajes. Los mensajes suelen ser temáticos y el tráfico es grande, por lo que sólo aparecen los mensajes más recientes. Normalmente se organizan entre grupos de personas que comparten gustos y aficiones y se han convertido en una excelente fuente de información, ideal para aclarar dudas, hacer preguntas y actualizar cualquier tipo de información. Aquí todos pueden explicar sus ideas con total libertad y al mismo tiempo valorar las ajenas. En comparación con otros servicios de Internet las noticias tienen un flujo más lento, pues la respuesta a una determinada pregunta no se obtiene inmediatamente. Ello se debe a que la información que se envía al servidor debe llegar a todos los servidores de usuarios componentes del grupo de noticias. Los mensajes que se envían a los grupos de noticias son públicos, por supuesto, y cualquiera puede enviar una respuesta de regreso. Como la Web, el correo electrónico y la mensajería instantánea, los grupos de noticias funcionan a través de Internet.

FTP, File Transfer Protocol

Se puede traducir como 'Protocolo de Transferencia de Archivos'. En ocasiones se necesita trasmitir un volumen grande de información que es precisamente la limitación mayor que tiene el correo electrónico. Además de un protocolo de transferencia de archivos, FTP es un excelente gestor basado en la arquitectura cliente-servidor. Desde un equipo cliente es posible conectarse a un servidor para descargar gran cantidad de información o para enviar nuestros propios archivos independientemente del sistema operativo de cada equipo, siempre que los ordenadores soporten estas funciones.

Para este servicio es necesario que el ordenador tenga un programa cliente FTP, encargado de establecer la conexión con el programa servidor FTP que está en el ordenador remoto. Cuando se establece una conexión FTP, el servidor remoto debe permitir el acceso a su sistema de archivos y para ello solicita un nombre de usuario (*user login*) y una contraseña (*password*). Aunque la principal función del protocolo FTP es la transferencia de archivos, también permite crear, copiar, mover y modificar datos en el ordenador remoto. En la actualidad los

programas clientes FTP tienden a parecerse al conocido explorador de archivos de Microsoft Windows, lo que facilita su utilización. Existen también los llamados servidores FTP anónimos, que almacenan información gratuita y donde también es posible depositar información para uso público.

FTP está pensado para ofrecer la máxima velocidad en la conexión, pero no la máxima seguridad, ya que todo el intercambio de información, desde el *login* y *password* del usuario en el servidor hasta la transferencia de cualquier archivo se realiza sin ningún tipo de cifrado, por lo que los intrusos pueden acceder fácilmente al servidor y apropiarse de los archivos transferidos.

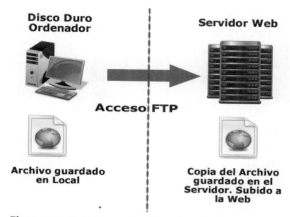

Figura 1.5. Esquema de cómo funcionan los accesos FTP para una Web.

La mayoría de los usuarios tiene suficiente con la capacidad que permiten los correos electrónicos, pero la cosa cambia en el caso de las empresas que necesitan mover gran cantidad de información en ambos sentidos. Los servidores FTP, generalmente privados, permiten a los usuarios autorizados cargar y descargar todo tipo de archivos, independientemente de su tamaño, según la velocidad de su conexión a Internet.

VoIP, Voz transmitida sobre IP

La 'Voz transmitida sobre Protocolo de Internet' permite la transmisión de la voz a través de redes IP en forma de paquetes de datos. Es decir, permite realizar llamadas de voz y fax sobre conexiones IP. A pesar de haber estado presente por mucho tiempo en el mercado, la aparición de nuevos e innovadores servicios ha convertido en realidad la integración de datos y voz, lo cual significa, para muchos usuarios, una mayor efectividad en las comunicaciones y una notable disminución de los costos.

Chat

El correo electrónico es un medio de comunicación innovador, pero las conversaciones a través de los Chats son más dinámicas y en tiempo real, con el atractivo inmediato de poder conocer gente nueva e interesante. La palabra Chat es un anglicismo, que en español significa charlar.

El origen de estas charlas es el IRC (*Internet Relay Chat*) y las conversaciones pueden llevarse a cabo en canales en los que participan varias personas, o con alguien en privado. El Chat consiste en ir escribiendo mensajes que serán visibles para todos y puede implementarse utilizando un programa específico que se instala en el ordenador o a través de algunos sitios Web, que los tienen incorporados y que son conocidos como Web Chat. Con el paso del tiempo y la generalización de la mensajería instantánea y los foros, los usuarios han ido dejando un poco el Chat, aunque sigue siendo un servicio demandado. El Chat ha evolucionado a videochat haciendo el servicio mucho más tentador. El intercambio de textos, vídeo y audio simultáneamente a través de un programa garantiza la realización de charlas en vivo, conferencias y programas de capacitación.

Cámaras Web, Webcams

Por lo general permiten transmitir imágenes en vivo, pero también pueden capturar imágenes o pequeños vídeos que pueden grabarse y transmitirse por Internet. Algunos servidores Web disponen de estas cámaras digitales conectadas permanentemente, y colocan imágenes en una página actualizándolas cada cierto tiempo. Estas *Webcams* permiten ver en tiempo real fotografías de playas, volcanes, carreteras, montañas y otros lugares en todo el mundo. Seguro que ya sabe que algunos las utilizan para que todo el que quiera pueda echar un vistazo a su vida cotidiana.

La Web 2.0

La Web 2.0 es una segunda generación de servicios basados en la Web, que enfatiza en la colaboración *online*, la conectividad y la posibilidad de compartir contenidos entre los usuarios. La Web 2.0 implica una evolución de las aplicaciones tradicionales hacia aplicaciones dirigidas al usuario final, que incluyen servicios como redes sociales, *blogs*, *wikis* y las folcsonomías.

▶ **Blog.** El *weblog*, también conocido como *blog* o bitácora, es un sitio Web periódicamente actualizado que recopila cronológicamente textos y artículos de uno o varios autores donde el más reciente aparece primero, con una temática en particular, y en el que el autor tiene la libertad de publicar lo que crea conveniente. Existen *weblogs* de tipo personal, periodístico, empresarial o corporativo, tecnológico, y educativo, entre otros.

El *blog* moderno es una evolución de los diarios *online* donde la gente escribía sobre su vida personal. Justin Hall, quien desde 1994 escribió durante once años su *blog* personal mientras era estudiante de la 'Universidad de Swarthmore', es reconocido como uno de los primeros *bloggers*. Existen distintas y diversas herramientas de mantenimiento de *blogs* que, de forma gratuita y sin necesidad de elevados conocimientos técnicos, permiten administrar todo el *weblog*, coordinar, borrar o rescribir los artículos y moderar los comentarios de los lectores, de manera tan sencilla como administrar el correo electrónico. Actualmente su uso se ha simplificado a tal punto que casi cualquier usuario es capaz de crear y administrar un *blog*.

Las herramientas de mantenimiento de *weblogs* se clasifican principalmente en dos tipos; las que ofrecen una solución completa de alojamiento de forma gratuita como *Blogger*, y aquellas soluciones consistentes en un software que al instalarse en un sitio Web, permiten crear, editar y administrar un *blog* directamente en el servidor que aloja el sitio, como es el caso de WordPress. Este software es una variante de las herramientas llamadas Sistemas de Gestión de Contenido cuyas siglas en inglés son CMS (*Content Manager Systems*) y muchos son también gratuitos. La mezcla de los dos tipos es la solución planteada por la versión multiusuario de *WordPress*. Las herramientas que proporcionan alojamiento gratuito asignan al usuario una dirección Web. En el caso de *Blogger*, la dirección asignada termina en blogspot.com y proveen una interfaz a través de la cual es posible añadir y editar contenido. Sin embargo, la funcionalidad de un *blog* creado con una de estas herramientas se limita a lo que pueda ofrecer el proveedor del servicio.

Por lo tanto, un software que gestione el contenido requiere necesariamente un servidor propio para instalarlo, del mismo modo que se hace para un sitio Web tradicional. Su gran ventaja radica en que permite el control total de la funcionalidad que ofrecerá el *blog* y que es posible adaptarlo totalmente a las necesidades del sitio e incluso combinarlo con otros contenidos.

Algunos elementos suelen ser comunes en los *weblogs*, como por ejemplo la lista de enlaces a otros *weblogs*, también denominada *blogroll*. Además se puede contar con un archivo de anotaciones o *posts* anteriores, enlaces permanentes o *permalinks* para que cualquiera pueda citar una anotación o *post* siguiendo el *link* o una función que permita añadir comentarios, entre otros. Una particularidad que los diferencia de los sitios de noticias es que las anotaciones o *posts* suelen incluir múltiples enlaces a otras páginas Web que no tienen que ser necesariamente *weblogs*, como referencias o para ampliar la información agregada.

► **Wiki** (del hawaiano *wiki, wiki*, rápido). Se trata de un sitio Web colaborativo confeccionado por varios usuarios que pueden crear, editar, borrar o modificar el contenido de una página Web de forma interactiva, fácil y rápida. Dichas facilidades hacen de *wiki* una herramienta efectiva para la escritura colaborativa. Actualmente, la más grande que existe es la versión inglesa de Wikipedia.

► **Folcsonomía**. Término derivado de *taxonomía* (del griego "taxis", clasificación, y "nomo", ordenar y gestionar) y de *folc* (del alemán "volks", pueblo). En consecuencia, folcsonomía significa literalmente, clasificación gestionada por el pueblo. Este concepto es un neologismo que da nombre a la categorización colaborativa por medio de etiquetas simples en un espacio de nombres llano, sin jerarquías ni relaciones de parentesco predeterminadas. Si se compara con otros sistemas de categorización, como el de Gmail, que también utiliza etiquetas, se distingue en que los usuarios comparten las categorizaciones. Las folcsonomías surgen cuando varios usuarios colaboran en la descripción de un mismo material informativo. Básicamente son sistemas de etiquetado de contenidos.

► **Redes Sociales**: Se refiere a las distintas plataformas Web donde los usuarios que se hacen miembros de dicha red, pueden subir y compartir información. En este grupo tenemos a las famosas redes sociales tales como Facebook, Twitter y Linkedin.

La Web 2.0 supone un cambio en la manera de pensar, diseñar y usar Internet, apoyado en nuevas tecnologías, en el que se evoluciona desde una Web de lectura hacia una de lectura/escritura. En el anterior modelo (Web 1.0), la información era generada por editores y *webmasters*, y consumida por los usuarios. En el nuevo modelo, la información es generada directa o indirectamente por los usuarios y compartida por los sitios.

En general, podríamos afirmar que los pilares sobre los que se basa este nuevo concepto son la tecnología, las redes sociales, la sindicación de contenidos, los servicios Web y el software

de servidor. Evidentemente, esta nueva visión de Internet trae consigo un grupo de nuevas tecnologías entre las que destacan:

► **Hojas de estilo en cascada** (o CCS, *Cascading Style Sheets*). Lenguaje formal usado para definir la presentación de un documento estructurado escrito en HTML, XML o XHTML.

► **Microformatos**. Son marcas utilizadas para incluir expresiones semánticas en una página Web, lo que permite extraer su significado. Surgen del trabajo de la comunidad de desarrolladores de Technorati, cuyo objetivo consiste en estandarizar un conjunto de formatos en los que almacenar conocimiento básico. La principal limitación es que cada tipo de significado requiere la definición de un microformato específico, entre los que se encuentran:

► **Técnicas de aplicaciones ricas no intrusivas**, como AJAX (*Asynchronous JavaScript And XML*), combinación de tecnologías que permite que una determinada Web se comunique con el servidor en segundo plano, respondiendo a eventos sin tener que recargar la página. De esta forma, las páginas Web son más ágiles, dinámicas y se parecen cada vez más a las aplicaciones de escritorio.

► **Sindicación de contenidos** a través de *feeds*, que son archivos generados por algunos sitios sindicados que contienen una versión específica de la información publicada en ellos para que puedan utilizarla los que añaden información.

RSS (*Rich Site Summary*, *RDF Site Summary*, *Really Simple Syndication*) y *Atom* son los formatos de datos más utilizados para sindicar o distribuir contenidos a suscriptores de un sitio Web. En términos generales, estos sistemas permiten que una Web exporte su contenido y otras lo importen dinámicamente. Los contenidos pueden ser escritos (*blogs*, diarios de noticias, portales temáticos...), sonoros (*podcast*), fotográficos (cualquier *fotoblog* o servicios como Flickr) o audiovisuales (cualquier *videoblog* o servicios como YouTube).

LA INTERACTIVIDAD DE LA WEB

Una de las diferencias más notables de Internet con otros medios de comunicación es la interactividad. La interactividad es un aspecto a tener muy en cuenta en el diseño Web, por la relación que tiene con el mercado; cuando el cliente puede elegir y aprobar un servicio o producto hay una venta. Y es precisamente gracias al mercado que se han hecho grandes inversiones en el crecimiento de la red.

> **Nota:** El usuario-cliente de una página no es un objeto pasivo, se convierte en un gran informador. Cuando completa los datos de un formulario, contesta a una encuesta, usa el correo electrónico o accede a un sistema de compras, está interactuando en la Web.

Los procesos de búsqueda de información reflejan en buena medida la interactividad de la Web. Estos procesos constituyen un verdadero desafío para los diseñadores, pues mientras más sofisticadas son las herramientas, más difícil es encontrar el límite de las posibilidades.

Los juegos *online* son otro ejemplo de la interactividad de la Web. Son videojuegos que se juegan vía Internet. La principal diferencia con los juegos de consola u ordenador es que éstos son normalmente independientes de la plataforma, basados exclusivamente en tecnologías del lado del cliente, llamadas *plugins* o *players*. Todo lo que se necesita para jugar un juego en línea es un navegador Web y el *plugin* apropiado.

Tareas como agregar páginas a sus favoritos, bajar información de un servidor a su ordenador, conservar imágenes e incluso analizar el código HTML de una determinada página, son también ejemplos de interactividad.

El mundo de Internet está creciendo a pasos agigantados, y a diario surgen miles de sitios y usuarios nuevos. Ello ha convertido el estudio para garantizar la rapidez en el envío y recepción de datos con la más moderna tecnología en una tarea habitual. El desarrollo de nuevas tecnologías hará que en un plazo relativamente corto sus páginas Web sean vistas incluso por personas que nunca han tocado un ordenador. En este capítulo ha podido repasar toda la terminología del funcionamiento de Internet, imprescindible para poner manos a la obra con fundamento.

2. Navegando por Internet

En Internet hay cientos de millones de páginas Web con información útil; pero aprender las claves para navegar por la Red requiere práctica y algunas habilidades. Para obtener la información necesaria de la manera más rápida posible, debe conocer sus recursos: las características de la Red, los programas de navegación y las herramientas de los sitios de búsqueda; además de intuición y algunas ideas sobre el tema buscado.

Conozca bien su navegador, así como sus funciones más importantes. El navegador es tu conexión con la Red. Él permite guardar información como los datos de acceso y las páginas visitadas e introducir atajos para las búsquedas más importantes.

El mercado de los navegadores se ha diversificado en los últimos años. Navegadores como Opera, Google Chrome, Safari o Firefox, gozan de una popularidad en crecimiento. Sin embargo, de momento

Internet Explorer sigue liderando el mercado. En este capítulo estudiaremos las principales herramientas de los navegadores a través de Internet Explorer.

Nota: Todo PC compatible con el sistema operativo Windows, se vende con el navegador Internet Explorer instalado. Por eso Internet Explorer, ya en su versión 10, sigue siendo el más usado del mercado.

BREVE HISTORIA DE LOS NAVEGADORES

Cuando a mediados de los 90, Internet comenzó a ser indispensable para todos, el navegador *Netscape Communication Corporation* lideraba con hegemonía el mercado. La primera versión de Netscape se llamó Mozilla. El diseño de páginas Web se realizaba entonces directamente en código HTML y luego se optimizaba para Netscape. Cuando Microsoft presentó Internet Explorer, se inició una brutal competencia entre los dos navegadores, que provocó cierta deformación en el estándar HTML.

Ambas compañías intentaron persuadir a los diseñadores que utilizaran sus tecnologías y diseñaran los sitios sólo para su navegador. Esta lucha absurda por el control del mercado engendró muchas nuevas versiones en cortos intervalos de tiempo. Aunque la competencia debería haber beneficiado al usuario, por la rapidez con que aparecían nuevas funciones y herramientas, la realidad demostró que diseñar sitios exclusivos para uno de los navegadores, significaba excluir a un sector del mercado, creando grandes restricciones a los usuarios. Esa época de enfrentamiento, bautizada por los informáticos como la de la "guerra de los navegadores", posiblemente, haya sido la etapa más negativa en la corta historia de la Web. La comunidad virtual reclamó poner fin a este desatino y el resultado fue el trabajo con estándares comunes para todos los navegadores. Mientras más estándares soporten los navegadores, más fácil es el trabajo de los diseñadores y programadores, pues trabajarán con la certeza de que sus páginas serán interpretadas y visualizadas, por sus posibles usuarios, sin contratiempos. Para controlar y desarrollar esos estándares se creó el *Word Wide Web Consortium* (W3C), garante de la homogeneidad en la Web.

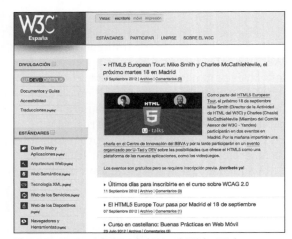

Figura 2.1. La página del Word Wide Web Consortium (W3C).

Todavía hoy existen algunas compañías que desarrollan funciones independientes, principalmente asociadas a DHTML (*Dynamic HTML*) las cuales son únicas para sus navegadores y que no recomendamos.

Nota: Si desea tener páginas Web visitadas por el mayor número posible de usuarios utilice en su diseño los llamados comandos estándares.

Nota: Con una conexión activa a Internet, los navegadores trabajarán automáticamente. Ellos interpretan el código HTML y dan acceso a todo tipo de servidores.

CÓMO FUNCIONAN LOS NAVEGADORES

Los navegadores buscan la información en los servidores Web a través del Protocolo de transferencia de hipertexto (HTTP) con el que acceden a través de las direcciones URL.

Casi todos los navegadores Web admiten otros protocolos, como HTTPS (más seguro que HTTP), FTP y Gopher, así como los estándares HTML y XHTML de los documentos Web. Los navegadores además interactúan con los llamados *plugins* para ejecutar archivos como los .flash y subprogramas denominados scripts desarrollados para realizar otras funciones, escritos en VBScript, JavaScript y otros.

Los navegadores Web son configurables. Permiten definir, por ejemplo, el tamaño de la fuente, si se van a mostrar o no las imágenes y otras especificaciones. Aunque los principales navegadores permiten estos ajustes, la forma de implementarlos puede variar.

URL

Las URL (*Uniform Resource Locators*) o Localizadores de Recursos son direcciones únicas útiles para localizar una página Web y sus contenidos en un servidor de la Red. Estas direcciones se escriben en la barra de direcciones del navegador que envía la solicitud por la Red. El proceso termina con la visualización en el ordenador del usuario del contenido de la página alojada en el servidor remoto.

Nota: Las URL permiten localizar cualquier tipo de página en Internet. Ellas combinan el nombre del servidor que proporciona la información, el directorio donde se encuentra, el nombre del fichero y el protocolo a usar para recuperar los datos.

Al introducir una URL o dirección de Internet en el navegador, o al hacer clic en un hipervínculo se genera una solicitud.

Figura 2.2. URL de Anaya Multimedia: `http://www.anayamultimedia.es`.

Los servidores llamados *root servers* direccionan las peticiones y los servidores DNS establecen la correspondencia entre los nombres de las páginas y las direcciones IP equivalentes.

Cuando introduzca una dirección en la Barra de direcciones, el ordenador inserta las letras `http://` al principio de la línea de direcciones. Este es un código para el *Protocolo de Transferencia Hipertexto*.

Advertencia: Cuando escribe una URL en un navegador, si lo hace sin indicar el servicio, el programa introduce por defecto el protocolo Web, o sea, `http`.

Cuando la solicitud llega al servidor, éste la examina y según la dirección localiza el documento. En ocasiones el servidor necesita conectarse con otro servidor para obtener la información; en ese caso está actuando como cliente de ese otro servidor.

Una URL está formada por una cadena de caracteres ordenados de esta manera:
`http://www.anayamultimedia.es/cgi-bin/main.pl`

La primera parte de una URL, justo delante de las dos barras, contiene el tipo de protocolo utilizado en el intercambio de información, en este caso `http:`

Ejemplos de protocolo:

1. `http`, documento hipertexto.
2. `ftp`, transferencia de archivos.
3. `news`, noticias Usenet.
4. `telnet`, acceso remoto.

> **Nota:** `http://` indica el protocolo solicitado al servidor. Un mismo servidor en Internet puede ofrecer diferentes recursos con distintos servicios y sus correspondientes protocolos.

La segunda parte de la URL corresponde al nombre del dominio donde se encuentran los datos o el servicio buscado y opcionalmente su puerto de conexión.

En el ejemplo: `www.anayamultimedia.es` las últimas letras normalmente significan el país de origen con la excepción de los Estados Unidos que no tiene una anotación geográfica. Ejemplos de estos códigos nacionales son `.es` (España), `.ie` (Irlanda), o `.jp` (Japón).

En ocasiones en la URL aparece el número de puerto, un número de 16 bits para identificar las conexiones activas en el servidor Web donde se aloja el sitio. Algunos recursos o servicios son protocolos estandarizados y emplean siempre el mismo número de puerto.

La última parte contiene la trayectoria para llegar al recurso, es decir, la dirección del recurso dentro del servidor, además del nombre propio del recurso, en el ejemplo: `cgi-bin/main.pl`

Los navegadores permiten guardar las URL más visitadas en un menú especial, que en Internet Explorer, se llama Favoritos. De esta forma basta hacer un clic con el ratón para acceder a una dirección guardada previamente.

> **Truco:** Si desea conocer la URL de un hipervínculo, pase el cursor sobre él. Aparecerá un icono con una mano y verá la dirección en la Barra de estado ubicada en la parte inferior de la pantalla de su navegador.

Muchas direcciones URL no incluyen al final un nombre de archivo, sino terminan o apuntan a un directorio.

Cuando un servidor recibe una petición que apunta a un directorio en lugar de un nombre de archivo, busca en ese directorio un documento predeterminado, generalmente se llama index.html, y es el que se devuelve para su visualización. En algunos casos la URL no tiene incluso la barra inclinada final que indica que es un directorio, porque en este caso el servidor la añade automáticamente.

El nombre del archivo predeterminado puede variar, dependiendo de la configuración del servidor. Algunos servidores utilizan el nombre de archivo default.html en lugar de index.html.

Si para generar las páginas el sitio utiliza programación del lado del servidor, el archivo se llamará index.php o index.asp. Compruebe con el administrador del servidor donde va a colgar su sitio cuál es el nombre de su archivo predeterminado.

Algunos servidores, si no encuentran el archivo predeterminado, muestran los contenidos del directorio. Si guarda un sitio en un servidor compruebe que tiene un archivo predeterminado para evitar la visualización de sus directorios a los ojos de todos los curiosos.

No tiene que recordar nada de esto porque generalmente no necesita escribir las direcciones carácter a carácter, pues usted normalmente accederá a las páginas Web a través de un enlace o haciendo clic en un listado de un buscador.

LOS PRINCIPALES NAVEGADORES DEL MERCADO

Internet Explorer es desde hace años el navegador más utilizado por ser el del sistema operativo Windows. De cualquier forma en los últimos años, muchos usuarios optan por otros navegadores como es el caso Firefox, Opera y Google Chrome principalmente.

Ellos basan su fuerza en su gratuidad y su código abierto, y son susceptibles a ser mejorados.

Las principales características son comunes a todos los navegadores, solo cambian pequeños matices a la hora de implementar las herramientas. Ellas son:

▶ Navegación por pestañas.

▶ Funciones para determinar el nivel de seguridad.

▶ Bloqueador de elementos emergentes.

▶ Compatibilidad con motores de búsqueda.

▶ Funciones para eliminar *cookies* y borrar la caché y el historial.

▶ Corrector ortográfico.

▶ Uso de Marcadores.

Internet Explorer

Internet Explorer se encuentra en la versión 9. Puede descargársela desde la página Web de Microsoft. Para hacerlo los pasos son los siguientes:

1. Acceda al sitio Web `http://windows.microsoft.com/es-ES/internet-explorer/products/ie/home`.

2. Haga clic en el botón **Descargar ahora**.

3. Ejecute el instalador y espere hasta que finalice la instalación.

4. Una vez terminada la instalación, reinicie el sistema.

Advertencia: Muchas de las herramientas de la versión 9 funcionan con las versiones 7 y 8 del navegador.

Google Chrome

Google también ha incursionado en el mundo de los navegadores y el resultado es Google Chrome. Salió al mercado en septiembre de 2009 y ya ocupa el tercer lugar del mercado, por delante de Opera y Safari.

Su interfaz minimalista, siguiendo la esencia de Google, es una tendencia utilizada por el resto de navegadores. Observe su interfaz en la figura 2.3.

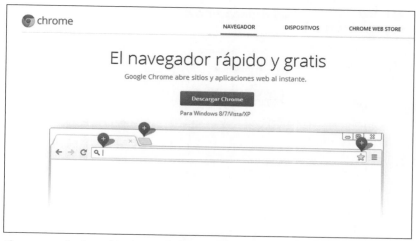

Figura 2.3. La interfaz de Google Chrome.

Mozilla Firefox 5

Mozilla Firefox se ha convertido en unos de los navegadores más exitosos de los últimos años. Esto se debe a su distribución gratuita y al hecho de ser un software libre. Es uno de los más completos, con gran cantidad de recursos, herramientas y complementos (figura 2.4).

Safari

Es el navegador de Apple pero está disponible también para Windows 7. Safari tiene una atractiva interfaz que muestra la figura 2.5.

Ofrece los mismos servicios que el resto de los navegadores como el motor de búsqueda de Google integrado, navegación por pestañas, y la selección de favoritos.

Figura 2.4. La interfaz de Mozilla Firefox 5.

Figura 2.5. La interfaz de Safari.

Opera

Creado en Noruega, fue uno de los primeros navegadores en usar el sistema de navegación por pestañas. Los usuarios aprecian su velocidad, seguridad y pequeño tamaño. Está disponible para su descarga en `http://www.opera.com`.

Navegadores para dispositivos móviles

Es importante conocer el sistema operativo de cada teléfono móvil. Estos determinan que navegador se pueden utilizar. Los sistemas operativos son:

► iPhone (iOS)

► Android

► BlackBerry

► Windows Phone

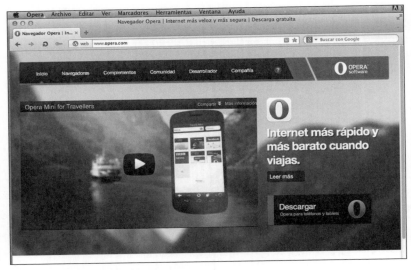

Figura 2.6. La interfaz de Opera.

A continuación ofrecemos una tabla donde podrá relacionar cada sistema operativo con su navegador.

Tabla 2.1. Principales navegadores para dispositivos móviles.

NAVEGADOR	DISPOSITIVOS	DIRECCIÓN DE DESCARGA
Opera Mobile	Maemo, BlackBerry, Symbian, Windows Mobile, Android o iOS, y los que admiten Java ME.	`http://www.opera.com/mobile/`
Firefox Mobile	Android, Maemo e iPhone.	`http://www.mozilla.com/es-ES/mobile/`
Skyfire	iPhone, iPad, Android.	`http://get.skyfire.com/`
Bolt	Blackberrys	`http://boltbrowser.com/dnld.html`

NAVEGADOR	DISPOSITIVOS	DIRECCIÓN DE DESCARGA
Teashark	Cualquier dispositivo con Java	`http://www.navire.fi/teashark/download.html`
UC Browser	Symbian, Android, Java y Windows Mobile	`http://www.ucweb.com/English/UCbrowser/`

INTERNET EXPLORER 9

Las principales características de los navegadores las vamos a repasar con Internet Explorer, el navegador más utilizado del mercado.

Para ejecutar el programa Internet Explorer haga clic en el botón **Iniciar** y después en el botón **Internet Explorer**, o, busque el icono **Internet Explorer** en su escritorio y haga doble clic sobre él. En unos segundos su PC ejecutará el programa.

La primera página desplegada cuando usted abre Internet Explorer se conoce como Página principal. Generalmente esta viene definida por su *Proveedor del Servicio de Internet* (ISP) que suele desplegar su propia página en un intento de persuadirle a contratar sus servicios. Dependiendo del proveedor algunas páginas pueden ser más útiles a otras. Ignore de momento el contenido de la página y concéntrese en los elementos de la interfaz del navegador.

Un simple vistazo a la interface permitirá familiarizarse con su estructura. Observe su tendencia al minimalismo. Como en todos los programas, en la zona superior derecha se encuentran los botones de control del documento de la figura 2.8. Ellos permiten controlar el tamaño de la ventana. Estos botones son **Minimizar, Minimizar tamaño, Maximizar** o **Cerrar** el documento.

Los botones **Minimizar tamaño y Maximizar** ocupan la misma posición y si aparece uno, desaparece el otro automáticamente. Si usa el botón **Minimizar**, la ventana se oculta, y se convierte en un botón en la Barra de tareas. El botón **Minimizar tamaño** hace lo que su nombre indica, minimiza el tamaño de la ventana mientras el botón **Maximizar** amplía la ventana a la pantalla completa.

El botón **Cerrar** cierra la ventana completamente.

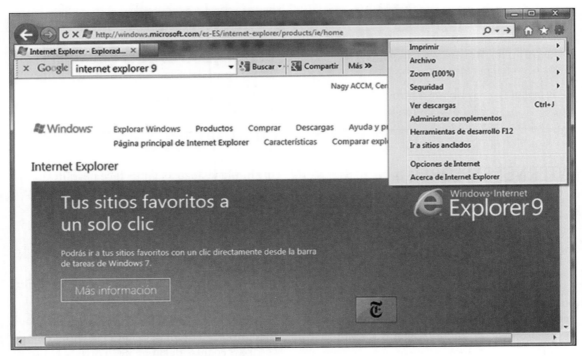

Figura 2.7. La interfaz de Internet Explorer 9.

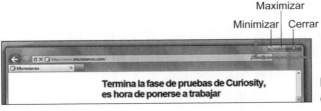

Figura 2.8. Los botones de control del documento.

Botones de navegación

Justo debajo, en el extremo izquierdo se encuentran los **Botones de navegación.** Estos botones permiten moverse para delante y hacia detrás entre las páginas ya buscadas en Internet. Puede hacer clic en el botón **Atrás** si desea regresar a la página visitada anteriormente, o en el botón **Adelante**, para ir a la página siguiente.

Barra de dirección

Al lado de los **Botones de navegación** está la Barra de direcciones, donde debe introducir la dirección URL de la página a visualizar. Una vez introducida la dirección haga clic en la tecla **Intro** para que el programa despliegue su contenido.

> **Truco:** Una de las funciones de Internet Explorer es el autocompletado que funciona de la siguiente forma: una vez introducidos los primeros caracteres de una URL el navegador ofrece posibles resultados coincidentes de búsquedas anteriores para seleccionar el resultado deseado.

A la derecha de la Barra de direcciones hay una lupa acompañada de una pequeña punta de flecha para acceder al Historial y a los Favoritos como nuestra la figura 2.10.

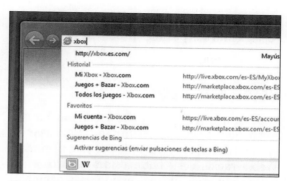

Figura 2.9. El autocompletado es muy cómodo cuando accedemos con frecuencia a un mismo sitio Web.

Figura 2.10. La lista de todas las páginas visitadas en su presente sesión.

Botón Vista de compatibilidad

Que un navegador cambie de versión no implica adaptar los sitios Web automáticamente a sus características. Existen sitios diseñados para versiones anteriores de navegadores que pueden visualizarse mejor gracias al botón **Vista de compatibilidad.** Este permite a una página antigua, ser visualizada, adaptando su diseño y formato, y corrigiendo sus posibles problemas de menú, imágenes o textos fuera de lugar.

Botón Actualizar

Las páginas Web se actualizan con mucha frecuencia. El botón **Actualizar (F5)** sirve para refrescar los contenidos de una página Web. Gracias a este botón estará seguro de tener siempre la última versión de la página, una opción muy útil en aquellas páginas donde se realizan comentarios en tiempo real.

Botón Detener

El botón **Detener** corta el enlace con el servidor Web, y deja de mostrar los contenidos. Este botón sirve para abortar la descarga cuando se hace muy larga. Con la tecla **Esc** puede lograr el mismo resultado.

Las Pestañas

La pestañas permiten tener abiertas varias páginas simultáneamente otorgando más comodidad en la navegación. Para abrir una

página en una pestaña haga clic con el ratón en el botón **Nueva Pestaña (Ctrl+T)** o ejecute el comando Archivo>Nueva Pestaña.

El botón **Nueva pestaña** permite abrir una nueva pestaña. Haga clic en la pestaña en blanco al final de la Barra de pestañas e introduzca la nueva dirección Web (véase la figura 2.11).

Botón Página principal

Este botón permite visualizar la página definida como principal. Puede obtener el mismo resultado presionando **Alt-Inicio**.

Botón Ver los favoritos, las fuentes y el historial

Este botón activa el panel de la figura 2.12. Aquí puede acceder de manera rápida a cualquier página marcada como favorita, a las fuentes a las que está subscrito y a su historial reciente. Una vez empiece a buscar con regularidad en la Web, el icono de la estrella dorada le será cada vez más útil.

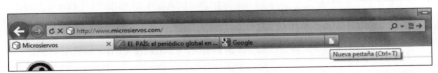

Figura 2.11. Observe diferentes pestañas con acceso inmediato a diferentes páginas.

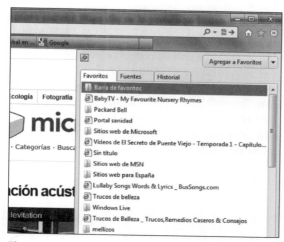

Figura 2.12. El panel de control de favoritos, fuentes e historial.

En Favoritos guardará las direcciones de los sitios Web más interesantes y visitados. A la derecha del panel aparece el botón **Agregar a Favoritos** que permite agregar direcciones a su listado de Favoritos.

En la parte superior de la ventana de Favoritos hay tres pestañas y un botón:

▶ **Favoritos:** Muestra las direcciones de las Web guardadas para acceder a ellas rápidamente.

▶ **Fuentes:** Servicio de actualización de contenidos que ofrecen los sitios Web.

▶ **Historial:** Los Sitios Web visitados aparecen ordenados por días, pero que también se pueden ordenar alfabéticamente o por sitios más visitados.

▶ **Botón Anclar el Centro de favoritos:** Este botón permite tener abiertos los Favoritos mientras navegamos por la Red.

Botón Herramientas

Este botón activa un menú emergente con las herramientas más habituales de Internet Explorer. Su función principal es dar un acceso rápido a estas herramientas. La figura 2.13 muestra este menú.

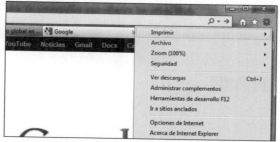

Figura 2.13. Las herramientas más utilizadas del programa.

Las Barras de herramientas

Debajo aparecen la Barra de menú, la Barra de Google Toolbar, la Barra de favoritos, la Barra de comandos, y la Barra de estado.

Si usted no ve algunas de estas Barras de herramientas probablemente no estén activadas. Para hacerlo:

Ejecute el comando Ver de la barra de menú y seleccione Barras de herramientas. Allí puede marcar las no seleccionadas para poder visualizarlas para su uso, como muestra la figura 2.14.

La Barra de menú

La primera barra es la Barra de menú. Desde esta barra es posible controlar casi todos los aspectos relacionados con el comportamiento del navegador. Estos menús seguro que le son familiares de otros programas. Muchos son menús típicos de un navegador Web. También están disponibles en la Barra de comandos o en otras barras.

Truco: Si las barras de herramientas y menús dificultan la vista de la Página principal, puede ocultarlas presionando la tecla **F11**. De esta forma solo quedará el contenido de la página. Si desea restaurar la vista de las Barras de herramientas presione otra vez **F11**.

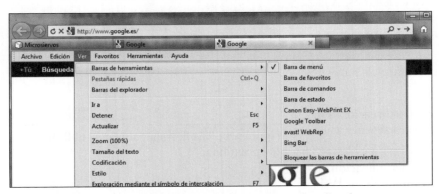

Figura 2.14. Marcar las Barra de herramientas para visualizarlas.

Sugerencia: Haga clic en algunos de los comandos del menú para ver cómo funcionan y practique para incrementar su conocimiento. Si algo le sale mal siempre puede cerrar el programa, y volver a probar después.

La Barra de Google Toolbar

Este es un atajo para realizar búsquedas en Google. El tema de las búsquedas en Internet es extenso y hay un capítulo dedicado a ello. No use este cuadro para buscar palabras dentro de la página visualizada en pantalla. La combinación de teclas **Ctrl+F** activa la barra de la figura 2.15 para buscar palabras en página.

La Barra de comandos

La Barra de comandos tiene iconos para navegar hasta la página principal, definir otra página como principal, imprimir una página Web y leer el correo. El icono de las fuentes RSS le permite obtener las últimas noticias de los sitios Web a los que da seguimiento.

Truco: Para saber las funciones de los iconos pase el puntero del ratón sobre ellos. Se mostrará un cuadro con información.

Las pequeñas flechas al lado de Página, Seguridad y Herramientas, activan sus menús contextuales.

Figura 2.15. La Barra de búsqueda en el documento.

Página

Realiza tareas como Traducir con Bing, Aplicar Zoom y Tamaño del texto, y Cortar, Copiar y Pegar. La figura 2.16 muestra las funciones activadas con el comando Página.

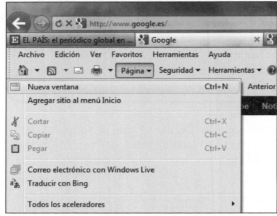

Figura 2.16. Menú del comando Página.

Seguridad

Permite aplicar ajustes para garantizar una navegación segura. Desde aquí puede controlar los filtrados InPrivate que evitan que Internet Explorer almacene datos sobre su sesión de exploración. Incluye cookies, archivos temporales de Internet, historial y otros datos. SmartScreen debe advertirnos cuando un sitio Web supone una amenaza

para el ordenador. La figura 2.17 muestra las funciones activadas con el comando Seguridad.

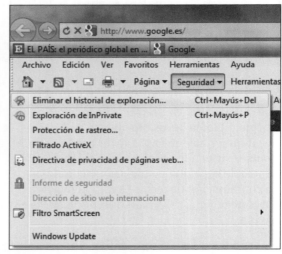

Figura 2.17. Menú del comando Seguridad.

Herramientas

Este comando permite controlar particularidades del navegador y también de la página Web abierta. La figura 2.18 muestra las funciones que se activan con el comando Herramientas.

La Barra de favoritos

Esta barra permite dar accesos directos a sus Web favoritas, desde una única ubicación.

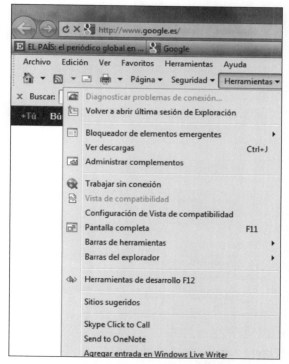

Figura 2.18. Menú del comando Herramientas.

Las Barras de desplazamiento vertical y horizontal

Permite desplazarse vertical y horizontalmente por la página Web activa.

El Área de contenido

Es el espacio donde se visualizará el contenido de una página Web.

La Barra de estado

Esta barra ocupa la parte inferior de la ventana del navegador. Si pasa el cursor sobre algún enlace de la página activa, en el extremo izquierdo de la Barra de estado se mostrará la dirección.

Existen páginas demasiado grandes para encajar en pantalla, en ese caso es necesario disminuir su tamaño para evitar usar las Barras de desplazamiento y leer todo el contenido. A menudo una reducción de un 75% en el botón **Cambiar nivel de Zoom** permite encajar completamente la página en pantalla, aunque por supuesto, esto implica una reducción del tamaño del texto, haciéndolo más difícil de leer. Como casi todo en la vida es también una cuestión de prioridades.

La Página principal

La expresión Página principal puede tener distintos significados según la situación. Cuando introduce una dirección como www. jiashanghai.com esta le conducirá a la

Página principal o Página de inicio del sitio Web del hotel Jia Shanghai en China. La otra página principal es aquella que cada usuario define para su propio ordenador personal, y aparece automáticamente cada vez que abre el navegador. Usted puede definir como Página principal cualquier pagina de la Web.

Cómo definir la Página principal

La Página principal se despliega cuando abre el navegador. Muchas veces corresponde a la Web de su proveedor de Internet. Usted puede seleccionar cualquier otra página Web como Página principal. La mayoría de los usuarios definen la de un buscador, casi siempre Google. En el capítulo 4 estudiaremos el uso de Google con más detalle. Ahora se trata de aprender a definir su Web como Página principal. En la Barra de direcciones, escriba la dirección de Google www.google.es y presione **Intro**.

La página de Google se despliega en la pantalla. Para definirla como Página principal al abrir Internet Explorer siga los siguientes pasos:

1. Haga clic en Herramientas, ya sea en la Barra de Comandos o desde la Barra de Menú.

2. Haga clic en Opciones de Internet.

3. Se activa el cuadro de diálogo Opciones de Internet que muestra la figura 2.19.

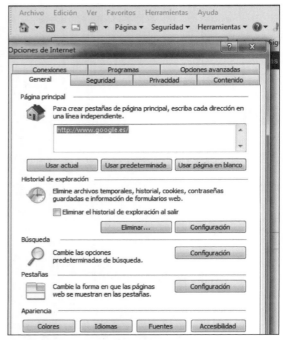

Figura 2.19. Cuadro de diálogo Opciones de Internet.

4. En la pestaña General, en el recuadro Página principal, introduzca la dirección URL del sitio Web definiéndola como Página principal, en este caso www.google.es.

5. Puede definir varias Pestañas para la Página principal, si introduce más de una dirección, en líneas independientes.

El mismo resultado se obtiene si sigue los siguientes pasos:

1. Con la página a definir como principal desplegada, haga clic en la flecha que acompaña al icono Página principal en la Barra de Comandos.

2. En el menú que se despliega seleccione la opción Agregar o cambiar la página principal.

3. En la ventana activada, que muestra la figura 2.20, seleccione la opción Usar esta página web como la única página principal si desea tener una página de inicio única.

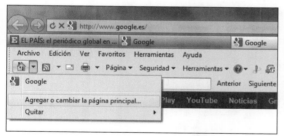

Figura 2.20. Cuadro Agregar o cambiar la página principal...

4. Si desea tener más de una Página principal, seleccione la opción Agregar esta página web a las pestañas de página principal.

5. También tiene una opción que permite utilizar un conjunto de pestañas como Página principal. Para ello con varias Pestañas abiertas haga clic en Usar el conjunto actual de pestañas como página principal. De esta forma puede abrir varios sitios Web en pestañas diferentes al iniciar el navegador.

6. Una vez seleccionada la opción haga clic en el botón **Sí.**

La próxima vez que abra Internet Explorer o haga clic en el icono **Página Principal**, la pagina o las páginas definidas como principal se desplegarán.

Los Favoritos

Favoritos es una carpeta para guardar direcciones de interés para acceder a ellas rápidamente sin teclear su dirección. Su manipulación es sencilla.

Cómo adicionar una página a Favoritos

Hay varias formas de acceder a Favoritos. La más común es haciendo clic en el botón **Ver los favoritos, las fuentes y el historial**. Otras opciones son el comando Favoritos de la Barra de menú o la combinación de teclas **Alt-C**.

Veamos cómo usar la lista de Favoritos:

1. Introduzca en la barra de direcciones: `http://www.javiergosende.com` y pulse **Intro**. Se desplegará el sitio de *Javier Gosende* como muestra la figura 2.21. Este es el tipo de sitio Web que cuando quiera profundizar en sus estudios de Internet querrá regresar y que por tanto, le viene muy bien agregar a su carpeta de Favoritos.

2. Haga clic en el icono **Ver los favoritos, las fuentes y el historial** y luego en el botón **Añadir a Favoritos**.

3. En el cuadro Agregar un Favorito (ver Fig. 2.22) activado puede cambiar la referencia al sitio a través del cuadro Nombre:

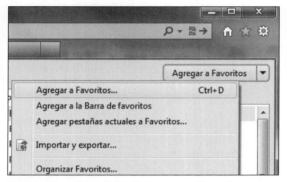

Figura 2.22. El cuadro Agregar un Favorito.

4. Luego haga clic en el botón **Añadir**.

Figura 2.21. El sitio `javiergosende.com`.

5. Obtendrá el mismo resultado si hace clic en el menú Favoritos o pulsa la combinación de teclas **Ctrl -D**.

6. Cuando quiera activar alguno de los sitios Web guardados en Favoritos, vaya al menú de Favoritos y haga clic en el sitio deseado. La página se visualizará inmediatamente.

> **Sugerencia:** Con el paso del tiempo, tendrá una lista bastante amplia de Favoritos incomoda de manipular. Realice una limpieza cada cierto tiempo para eliminar sitios que fueron útiles en su momento pero que ahora ya están caducados.

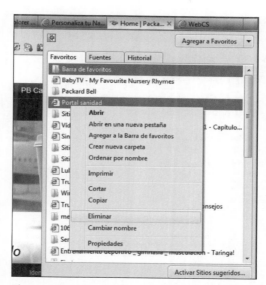

Figura 2.23. El menú contextual de Favoritos.

Para borrar cualquiera de las direcciones de Favoritos:

1. Haga clic en la entrada con el botón derecho del ratón.

2. Se activa un menú contextual como el que muestra la figura 2.23.

3. Haga clic en la opción Eliminar.

Para organizar sus Favoritos:

1. Haga clic en la flecha de la derecha del botón **Favoritos**.

2. Seleccione la opción Organizar favoritos...

3. Se activa el cuadro de diálogo Organizar Favoritos de la figura 2.24.

4. El cuadro de diálogo Organizar Favoritos presenta una lista con los sitios Web guardados en Favoritos y los botones **Nueva Carpeta**, **Mover...**, **Cambiar Nombre** y **Eliminar** que permiten gestionar las páginas de Favoritos.

Organice sus Favoritos creando carpetas por temas. Las páginas puede moverlas arrastrando y soltando las entradas con el botón del ratón.

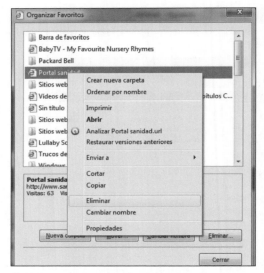

Figura 2.24. Cuadro de diálogo Organizar Favoritos.

Ejemplos de nombres útiles de carpetas para agrupar información son Viajes, Informática, Deportes, Cultura, Cocina, entre muchas otras. Aunque en principio parezca engorroso merece la pena dedicar tiempo a la organización de los Favoritos. Internet Explorer ofrece un sistema básico de organización.

Añadir a la barra de Favoritos

Si está seguro que regresará mucho una página agréguela a la Barra de favoritos para tenerla siempre a mano. Esto proporciona un atajo inmediato a sus páginas Web más visitadas.

Los pasos son los siguientes:

1. Abra la página que quiere llevar a la Barra de favoritos.

2. Haga clic en el icono **Ver los favoritos, las fuentes y el historial** y luego en la flecha que acompaña al botón **Añadir a Favoritos**.

3. En el menú ejecute Agregar a la Barra de favoritos.

4. En la Barra de favoritos aparece la nueva pestaña con la página seleccionada.

Historial de navegación

Si busca un sitio Web visitado, no añadido a su carpeta de Favoritos, y no tiene la dirección Web, entonces acuda al Historial. El navegador conserva un registro con todos los sitios Web visitados en un periodo de tiempo determinado, generalmente, tres semanas. Haga clic sobre la pestaña Historial del icono **Ver los favoritos, las fuentes y el historial** y navegue en busca de los sitios visitados. Busque el sitio deseado y haga clic en su nombre.

También puede organizar los sitios contenidos en el Historial haciendo clic en la flecha del botón Agregar a favoritos. Podrá organizar los sitios por el orden de los visitados hoy, por fecha, por el más visitado y alfabéticamente como muestra la figura 2.25.

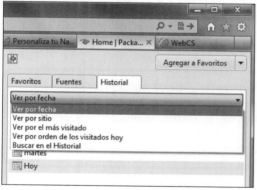

Figura 2.25. Organizar el historial.

Borrar el historial

Las páginas del Historial se ubican físicamente en el disco duro para acceder luego rápidamente a ellas.

Si no le interesa que estos sitios se conserven en el disco duro de su ordenador los puede eliminar.

Para eliminar el Historial:

1. Haga clic en el botón **Seguridad** de la Barra de comandos y seleccione la opción Eliminar el historial de exploración.

2. Se activa el cuadro Eliminar el historial de exploración de la figura 2.26.

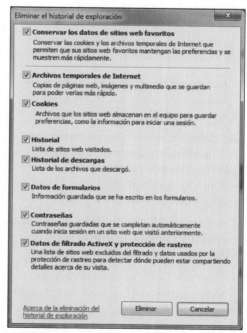

Figura 2.26. Eliminar el historial de exploración.

3. Además de eliminar el historial de exploración, puede borrar información como los datos de los formularios o las contraseñas.

4. Después de marcar los grupos de archivos para borrar haga clic en el botón **Eliminar**.

> **Nota:** También puede borrar el historial a través de la combinación de teclas **Ctrl-Mayús-Supr**.

El cuadro de diálogo Eliminar el historial de exploración ofrece las siguientes posibilidades:

▶ **Conservar los datos de sitios web favoritos:** Guarda la información de los sitios guardados como Favoritos.

▶ **Archivos temporales de Internet:** Son fundamentalmente imágenes guardadas en la memoria del ordenador para que las páginas se descarguen con más velocidad.

▶ **Cookies:** Información sobre el usuario enviada automáticamente a las Web visitadas.

▶ **Historial:** Contenido de la carpeta donde se guardan las direcciones de los sitios Web visitados.

▶ **Historial de descargas:** Los archivos descargados con el navegador.

▶ **Datos de formularios:** Datos personales solicitados por los sitios.

▶ **Contraseñas:** Internet Explorer permite memorizar las contraseñas solicitadas por algunos sitios. Cuidado de no tener habilitada esta opción si comparte ordenador

▶ **Datos de filtrado ActiveX y protección de rastreo:** Se refiere a los sitios Web excluidos del filtrado, así como los datos utilizados por la protección de rastreo sobre su visita a la página Web.

> **Sugerencia:** Realice una limpieza cada cierto tiempo para eliminar los archivos que utilizan espacio en su disco duro. Las *cookies* y los archivos temporales son generalmente innecesarios.

Configurar el historial

Además de poder borrar el Historial y eliminar así la huella de su paso por las páginas Web visitadas, también puede variar el tiempo de almacenamiento de esas páginas.
Para ello los pasos son los siguientes:

1. Pulse la flecha al lado del botón **Herramientas** en la Barra de comandos y en el menú desplegado seleccione Opciones de Internet.

2. Se activa el cuadro de Opciones de Internet. Seleccione la pestaña **General** y luego en el recuadro Historial de Exploración haga clic en el botón **Configuración**.

3. Se activa el cuadro Conf. de Archivos temporales de Internet e Historial mostrado en la figura 2.27.

4. En el recuadro Historial, en la opción Conservar estas páginas en el historial por estos días, introduzca el número de días que desea conservar.

5. Luego haga clic en el botón **Aceptar.**

> **Truco:** Hay un truco para no dejar huellas de las páginas visitadas sin necesidad de limpiar el Historial y consiste en conservar las páginas del historial por 0 días.

Navegar por el sitio Web

Para aprender a navegar por un sitio Web, abra la página Web `http://www.photo-club.es/`, la página que Anaya Multimedia dedica a sus libros de fotografía. Introduzca la dirección en la Barra de direcciones y se desplegará la página Web que muestra la figura 2.28.

Eche un vistazo a esta página Web y verá palabras en un color gris claro, diferente al texto normal. Estas palabras constituyen enlaces, también conocidos como hipervínculos, a otras páginas del sitio Web y puede que a otros sitios. Estos enlaces están incrustados en las páginas Web.

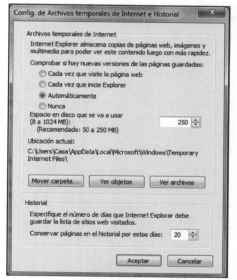

Figura 2.27. Configuración de Archivos temporales de Internet e Historial.

Figura 2.28. Lo último y más destacado de la fotografía publicado por Anaya.

Para saber si algún texto o imagen constituye un enlace, mueva el cursor del ratón por encima de ellos. En caso afirmativa el cursor cambiará de una flecha a una mano.

Los botones de navegación de **Ir** y **Regresar** permiten moverse hacia delante y detrás siendo independientes para cada pestaña de navegación. Cada pestaña tiene su propio delante y detrás.

Copiar desde una página Web

Se puede copiar contenidos desde una página Web. Seleccione el contenido a copiar y arrastre el ratón mientras mantiene presionado el botón izquierdo. También puede copiar contenidos utilizando el menú Editar de la Barra del menú. Seleccione el área seleccionada, ejecute Edición>Copiar y vaya al documento donde quiere insertar el contenido y ejecute Edición>Pegar.

Puede lograr el mismo efecto con el botón derecho del ratón y los menús contextuales. Los contenidos pueden pegarse lo mismo en un documento de texto, en un email y en cualquier otro tipo de documento.

Buscar una palabra

Muchas veces deseará encontrar una palabra concreta en la página Web activa. La forma más rápida de solucionar este tema es la combinación de teclas Ctrol+F que activa una barra de búsqueda. Introduzca la palabra buscada y observe como se sombrea esa palabra donde quiera que esté, en la página Web (figura 2.29).

El botón **Siguiente** de esta barra sirve para saltar descendiendo en busca de la palabra. Al final de la barra aparece el dato con el número de coincidencias en la página Web.

Definir parámetros de Seguridad

Un consejo muy escuchado cuando se habla de seguridad en la Red es no abrir ni descargar nada si no se está seguro de los contenidos. Internet Explorer 9 permite configurar diferentes niveles de seguridad.

El programa ofrece sus opciones por defecto muy equilibradas, puede acceder a ellas y modificarlas siguiendo los siguientes pasos:

1. Haga clic en el botón **Herramientas** en extremo superior derecho de la pantalla y en el menú extendido ejecute Opciones de Internet.

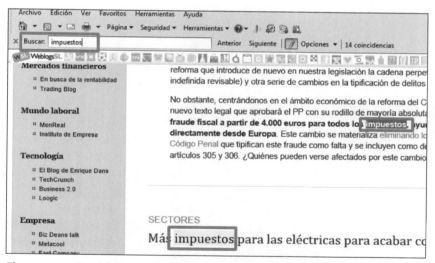

Figura 2.29. La palabra se sombrea cada vez que aparece en el documento.

2. En el cuadro Opciones de Internet haga clic en la pestaña Seguridad. Se activa el cuadro de la figura 2.30.

3. Para personalizar la seguridad haga clic en el botón **Nivel Personalizado...**

4. Se activa el cuadro Configuración de seguridad: zona de Internet de la figura 2.31. Aquí tiene varias opciones. Si va a modificar alguna opción asegúrese de tener claro el concepto, de lo contrario conserve las opciones por defecto.

5. Haga clic en el botón **Nivel Predeterminado** para que todas las opciones vuelvan a la configuración original.

Figura 2.31. Configuración de seguridad: zona de Internet.

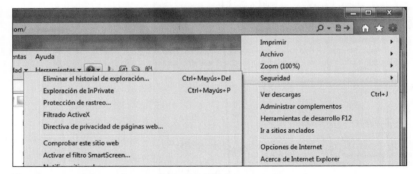

Figura 2.30. Las opciones de seguridad.

Descargar archivos de Internet

Navegando por la Web habrá sentido la tentación de descargarse una imagen o algún programa. Si desea descargarse una imagen de una Web los pasos son los siguientes:

1. Abra el sitio Web de Anaya multimedia, www.anayamultimedia.es.

2. En la columna de la derecha hay un botón llamado **Una buena elección** y debajo una imagen con la cubierta de un libro, como en la figura 2.32.

Figura 2.32. Descargar archivos de Internet.

3. Haga clic sobre la foto con el botón derecho del ratón y se despliega un menú.

4. Seleccione la opción Guardar imagen como…

5. Se activa el cuadro Guardar imagen.

6. En el cuadro Nombre: se sugiere un nombre para el archivo que puede cambiar. Introduzca el nombre más conveniente y haga luego clic en el botón **Guardar**.

7. Para abrir luego el archivo haga doble clic sobre su icono en el lugar donde lo haya guardado. La imagen se abrirá con su programa visor.

Descargar programas

Ahora vamos a ver como descargar programas. Descarguemos un programa excelente para catalogar y manipular imágenes. Nos referimos a Picasa.

1. Abra el sitio Web de Picasa: picasa.google.com. En caché – Similares.

2. Haga clic en el botón **Descargar Picasa**.

3. Se activará una ventana en el inferior de la pantalla preguntándole si desea **Ejecutar** o **Guardar** el archivo.

4. Elija **Guardar** para situar el instalador del programa en su escritorio.

5. Ejecute el asistente de instalación. Podrá guardar el archivo ejecutable donde crea pertinente.

Figura 2.33. Picasa es el organizador y editor de fotografías de Google.

6. Una ventana muestra como progresa la descarga. Una vez terminada el programa quedará disponible para su uso. Un icono **Picasa** aparecerá en el lugar indicado.

> **Nota:** Una cosa es descargar un programa y otra instalarlo. Las dos opciones necesitan ser completadas para que el programa funcione en su ordenador.

Cambiar el tamaño del texto

Puede suceder, que como resultado de la navegación, se encuentre una página con dificultades para leer el texto o que después de visitar una página, cambie mecánicamente el tamaño del texto. Es necesario saber cómo cambiar el tamaño del texto para poder regresar siempre a formas cómodas de visualización. Los pasos para conseguirlo son los siguientes:

1. En la Barra de comandos, situada en la parte superior derecha del navegador, haga clic en la flecha al lado del botón Página para desplegar el menú.

2. Ejecute la opción Tamaño del Texto y seleccione el tamaño más conveniente. Puede oscilar entre Muy grande y Muy pequeño, siendo el Mediano el más adecuado.

> **Truco:** Puede aumentar el tamaño de toda la página si varía los valores el Zoom.

Imprimir una página

La mayoría de las páginas Web ofrecen una versión imprimible del texto omitiendo la publicidad. Para imprimir una página:

1. En la Barra de menú ejecute Archivo>Imprimir…, para imprimir la pagina mostrada en la pantalla. El mismo resultado se obtiene con **Ctrl+P.**

2. Se activa el cuadro Imprimir, que permite seleccionar la impresora y definir sus preferencias.

3. Al final haga clic en el botón **Imprimir.**

Figura 2.34. El cuadro Imprimir.

Habrá ocasiones en que solo quiere imprimir parte de una página; en ese caso seleccione arrastrando el ratón la parte que desea imprimir y luego siga los mismo pasos.

3. Requisitos para conectarse a Internet

Para poder conectarse a Internet necesita tener un ordenador, un módem, una línea telefónica y un proveedor de acceso.

Hay varias modalidades de conexión a Internet como verá más adelante en este capítulo.

> **Nota:** La mejor conexión a Internet es la más rápida. La velocidad de trasmisión no solo depende del módem, sino también de la calidad de la línea telefónica y por lo general del tráfico de información en el momento de la conexión. Si quiere comprobar la velocidad de su conexión a Internet, visite el sitio www.speedtest.net, un servicio gratuito para comprobar su velocidad conexión y para ayudarle a acelerarla.

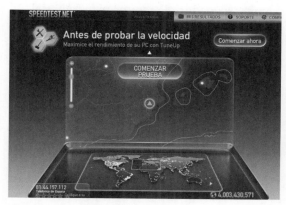

Figura 3.1. www.speedtest.net.

ORDENADORES: PORTÁTILES Y DE MESA

Si se dispone a cambiar o comprar un ordenador lo primero a tener en cuenta son las ventajas y desventajas de los dos tipos básicos de ordenador: el ordenador de mesa y el portátil.

El espacio

El ordenador de mesa ocupa más espacio porque sus componentes están separados: el propio ordenador, el monitor, el teclado y el ratón. Un ordenador de mesa ocupa un valioso espacio, el cual no siempre podrá permitirse y necesita además de cables para conectarse al resto de periféricos.

El precio

El precio de un ordenador de mesa es generalmente más barato al de un portátil. Por ejemplo, un portátil de más de 16 pulgadas es más caro a su equivalente de mesa. Conseguirá más valor por su dinero si opta por un ordenador de mesa con una pantalla grande. Incluso, una maquina de segunda mano costará muy poco y cubrirá sus necesidades más importantes.

La portabilidad y el equipamiento

El portátil puede trasladarlo con completa libertad, a cualquier sitio, tiene su teclado incorporado y no necesita ratón. La mayoría de los portátiles están equipados con una pantalla de 15.4 pulgadas, que para algunos puede limitar su "legibilidad". Tiene además la cuestión del control del cursor del ratón. En un portátil tenemos un *touchpad o* alfombrilla táctil integrada en el teclado para el control del cursor y otras funciones. Los *touchpad* suelen ser muy sensibles, especialmente cuando incorporan un *scroll*. La mayoría de las personas encuentran más cómodo usar un ratón independiente con su portátil que puede ser inalámbrico. Creemos que es cuestión de costumbres y preferencias.

Figura 3.2. Touchpad o alfombrilla táctil integrada a portátil.

Todos los ordenadores funcionan mejor cuando están bien ventilados, los portátiles más. Mantenga las rejillas de ventilación libres de polvo. En la ventilación de muchos portátiles esta en la base de la maquina, por tanto permita el flujo de aire. Si el ordenador se calienta, dejará de funcionar.

Las baterías

La vida de las baterías es un tema muy a tener en cuenta cuando se usan portátiles. Un portátil, sin no está conectado a la electricidad, tiene un tiempo limitado, necesita recargar sus baterías. Aunque las baterías de los portátiles son cada vez más duraderas, por el momento, incluso las mejores, solo duran alrededor de seis horas antes de necesitar ser recargadas. En los ordenadores de mesa no debe preocuparse por recargar continuamente la batería.

Figura 3.3. Las baterías de los portátiles.

La tecnología de las baterías mejora cada año pero también crecen a un ritmo similar las exigencias del ordenador, y, por el momento, las dos tienden a compensarse. Los portátiles llevados al límite pueden llegar a demandar mucha energía. Enumeramos algunos consejos para extender la vida de sus baterías entre las cargas:

1. Apague el ordenador si no lo va a utilizar.

2. La luminosidad de la pantalla exige mucha energía, bájela un poco, pero no se olvide de sus ojos.

3. El funcionamiento de un CD o de un DVD gasta más batería en un portátil.

4. Los programas de fondo, como los archivos de música, deben ser apagados si quiere ahorrar baterías.

5. No use el ordenador enchufado a la corriente todo el tiempo. La batería necesita ejercitarse para conservarse.

6. Aprenda a poner el ordenador en el modo Hibernación utiliza menos energía que el modo Espera. Muchos portátiles tienen una tecla de **Hibernación**.

7. Si de todas formas necesita usar varios programas al mismo tiempo, considere incrementar la memoria del ordenador.

Instalando más RAM (*Random Access Memory*) reduce la necesidad de hacer girar el disco duro.

Pudiera parecer, que los portátiles tienen un uso más limitado: ni lo pensamos, ni es real esta afirmación. Si usted tiene un espacio restringido o viaja mucho, y además prioriza su comodidad de desplazamiento mientras trabaja, entonces opte por un portátil con un tamaño de pantalla razonable de15.4 pulgadas como mínimo. Son maravillosos para trabajar en el sofá.

Ahora bien si usted dispone del lujo de un estudio o de una habitación sin uso, entonces un ordenador de mesa seguirá siendo una excelente solución para cubrir sus necesidades informáticas y también un alivio para su bolsillo.

PROVEEDORES DE SERVICIOS (ISPS)

Los proveedores de servicio de Internet son las empresas dedicadas a conectar al usuario y dar mantenimiento para que los accesos funcionen correctamente. Ofrecen también otros servicios como dar alojamiento Web o registrar dominios. Estas compañías son conocidas por las siglas ISP del inglés *Internet Service Provider* y se puede contratar el servicio de cualquiera de ellas. En España

existen ISP de todos los tamaños y todas las grandes operadoras de teléfono: Telefónica, Vodafone y Orange conceden acceso a Internet y tienen millones de clientes directos. Los proveedores de banda ancha más conocidos son Telefónica-Movistar, Arrakis, Jazztel, y Orange. El modo de conexión ADSL es el más utilizado con más de 8 millones de usuarios. Si todavía no dispone de conexión a Internet, acuda a una de las numerosas ofertas existentes de ADSL en el mercado.

Existen además decenas de compañías pequeñas que mantienen sus propias comunidades de usuarios. El sitio `http://www.lcc.uma.es/~eat/services/prov_int.htm` ofrece un listado con todos los ISP que hay en España.

Figura 3.4. Proveedores de Internet (ISP) en España.

Para poder conectarse además del hardware correspondiente necesita tener los protocolos para controlar las conexiones y los datos de flujo, así como las aplicaciones para utilizar los servicios TCP/IP.

Una vez tenga un contrato de acceso a Internet, su ISP le entregará los números y datos de la configuración del TCP/IP. Entonces podrá instalar el software para conectarse directamente con un router del ISP que será su entrada a Internet. Configure su software correctamente y estará listo para acceder a Internet.

> **Nota:** La guerra de precios entre las principales compañías beneficia al usuario. Consulte las redes sociales, comprueba todas las opciones y ofertas existentes antes de contratar un proveedor.

Las IP. Internet Protocol o Protocolo Internet

Para garantizar el intercambio de información en una red con millones de ordenadores conectados, es imprescindible una forma única de identificar a cada ordenador. Sin una dirección, no se pueden establecer vínculos entre ordenadores, recursos y sistemas. La secuencia de números para identificar un ordenador en Internet se llama dirección IP (*Internet Protocol*), y cualquier paquete de información digital en circulación (correos electrónicos, páginas Web), contiene las direcciones IP de los ordenadores de origen y destino. La secuencia está formada por cuatro números (entre 0 y 255) separados por puntos. Un ejemplo de dirección IP puede ser **66.34.237.94.** Los números corresponden a un país, un dominio específico y la propia máquina.

Cuando un ordenador cualquiera se conecta a Internet, el protocolo de comunicación le asigna de forma dinámica una dirección IP temporal.

La mayoría de los usuarios de Internet no conoce su número de IP, ni utiliza este número para encontrar recursos y máquinas. Realmente no lo necesita, sería difícil controlar estas secuencias de números. Por esta razón es habitual que a una dirección IP se le asigne en Internet un nombre único llamado nombre de dominio.

El nombre de dominio es mucho más sencillo de relacionar con un ordenador determinado. La correspondencia entre la IP y el nombre de dominio se almacena en ordenadores actualizados constantemente llamados *DNS* (*Domain Name Servers*) o Servidores de nombres de dominio. Estos ordenadores se encuentran distribuidos por todo el mundo y están siempre on line.

El nombre de dominio permite identificar el país por las letras del final, por ejemplo .es para España, .de para Alemania y .uk para el Reino Unido.

> **Nota:** En los Estados Unidos existen tres letras de acuerdo con el tema con qué se relaciona cada sitio, por ejemplo .com para las entidades comerciales, .int para los organismos internacionales, .edu para la educación, .net para las redes e Internet y .gov para temas gubernamentales. Algunos servidores incluyen sus propios subdominios con nombres decididos por sus administradores de redes locales.

Cualquiera puede obtener su propio nombre de dominio para utilizarlo personalmente o para una empresa establecida jurídicamente. Cuando se sube un sitio Web y se reserva un nombre de dominio, este nombre se registra en la base de datos de un servidor de nombres de dominio. Una vez registrado queda reservado de forma preferencial.

Si decide cambiar el servidor donde está alojado su sitio Web cambiará el número de IP, pero el nombre de dominio puede y debe seguir siendo el mismo, para no afectar su relación con quienes visitan su sitio.

Publicar un sitio en la Web

Un sitio Web es un medio interactivo con información digital: textos, imágenes y multimedia con información personal, sobre productos y servicios, y otros datos de interés para determinados usuarios. Para que el sitio sea visible para todos debe colocarse en un servidor, que garantice su disponibilidad *online*.

Existen herramientas llamadas editores Web para diseñar, desarrollar y probar los sitios Web. Habrá escuchado hablar alguna vez de HTML, CSS o Adobe Dreamweaver. Estudiar los editores Web no es objetivo de este libro, si lo desea podrá encontrar varias obras de esta misma casa sobre este tema. Le recomendamos especialmente el Manual Imprescindible de Dreamweaver CS6.

El proceso de creación y diseño de un sitio Web se realiza en los ordenadores personales sin necesidad siquiera de tener conexión a Internet. Los archivos del sitio se guardan en una carpeta del disco duro del ordenador. El primer paso para poder publicar un sitio es hacerse con el espacio adecuado en un servidor Web; afortunadamente, el alojamiento en un servidor o *Hosting* es abundante y barato.

Muchas empresas dedicadas al hospedaje Web ofrecen un espacio de alojamiento junto con un nombre personalizable, los llamados dominios. En la actualidad existen gran variedad de ofertas las cuales están al alcance de cualquier usuario.

Después de la compra del servicio, donde podrá elegir la capacidad de almacenamiento, el nombre dominio, cuentas de correo, servicios permitidos y hasta opciones de integración a redes sociales. Todo adaptado a su necesidad. Recibirá un correo donde constaran los datos necesarios como nombre de usuario y contraseña, necesarios para acceder a los paneles, donde podrá personalizar el acceso al servidor usando el FTP (*File Transfer Protocol).*

Mediante el FTP, podrá acceder a su servidor ha máxima velocidad. Donde usted podrá subir imágenes, video, audio, archivos `html` o `php` e incluso contenido javascript. Cualquier tipo de contenido soportado por su proveedor podrá ser visualizado por los usuarios que accedan a su sitio Web.

MÓDEMS

El desarrollo de la informática, evidenció que había que solucionar el problema de la transmisión de señales. Mientras las líneas telefónicas tradicionales usaban señales analógicas, los ordenadores usaban señales digitales. La creación de redes de conexión por línea conmutada requería un equipo capaz de convertir los datos digitales en analógicos y viceversa.

Este problema lo solucionó el módem. La palabra módem deriva de su función como modulador. El módem recibe de un lado la información digital del ordenador y la transforma en analógica, para enviarla a través de la línea telefónica y viceversa.

En 1979 Hayes Microcomputer Products Inc. desarrollo el primer módem. Un módem pueden ser interno o externo al ordenador. Además de recibir y transmitir información, los módems también son responsables de esperar el tono, marcar, colgar y atender llamadas. Los módems operan con el mismo estándar de comunicación. Cuando un módem transmite información, ajusta su velocidad de transmisión de datos, tipo de modulación, corrección de errores y de compresión, al módem receptor. Cuando un módem transmite tonos modula o convierte la señal digital binaria proveniente del ordenador en dichos tonos, que representan o portan bits (figura 3.5).

> **Nota:** El módem es un dispositivo para convertir las señales digitales del ordenador en señales analógicas moduladas, para que se puedan transmitir a través de la red telefónica. La información digital es una sucesión de "unos" y "ceros" resultante de pequeños impulsos de corriente eléctrica.

Figura 3.5. Módem.

TECNOLOGÍAS DE CONEXIÓN

En España el uso de Internet ha aumentado considerablemente gracias al aumento de la velocidad de conexión y la disminución de los costes, aunque no se haya alcanzado aun el nivel de otros países europeos. Las primeras conexiones comenzaron en 1995 y se realizaron a través de módem con una limitada velocidad de acceso. En ese año existían cerca de 50.000 usuarios, cifra, que llega hoy a los veintisiete millones.

Cuando se estandarizó la conexión por módem a 56 Kb/seg a través de una línea de teléfono todavía era muy alto el coste de las conexiones. El surgimiento de la tarifa plana, con un acceso ilimitado a Internet por precio mensual y la introducción de las líneas ADSL consolidaron definitivamente el acceso masivo a red. Hoy en día no se paga por la conexión, ni por el tiempo, hay una tarifa fija mensual por el servicio. Las compañías encargadas de dar

acceso a Internet mantienen una fuerte batalla competitiva y sus precios están al alcance de la mayor parte de las personas. Los proveedores ofrecen servicios combinados de acceso a la Red con tarifa plana de llamadas, televisión digital e incluso telefonía móvil.

> **Nota**: La velocidad de conexión habitual de los principales proveedores es de un 1 Mb, aunque también existen conexiones entre los 4 y los 10 Mb e incluso pueden llegar hasta los 20 Mb; de cualquier forma la velocidad real de navegación depende del nodo de acceso.

Los PC pueden conectarse a su proveedor de Internet usando una de las siguientes modalidades:

1. RTC (Red Telefónica Conmutada): Conocida también por su nombre en inglés *dial-up* es la forma más económica de acceso. En esta conexión es imprescindible un módem interno o externo, conectado al ordenador y simultáneamente a la red telefónica para llamar al nodo del ISP. Un servidor de acceso y el protocolo TCP/IP permiten establecer el enlace módem a módem. Ésta es la más lenta de todas las conexiones y en la actualidad ocupa un pequeño por ciento del volumen total. Las conexiones por

dial-up todavía existentes, están siendo sustituidas por los accesos a través de líneas ADSL. Muchas compañías proveedoras tienen ofertas para que sus usuarios pasen a otras modalidades más modernas.

2. RDSI (Red digital de servicios Integrados): Esta red procede de la evolución de la red telefónica, al ofrecer conexiones digitales de extremo a extremo, permite integrar una amplia gama de servicios, independientemente del terminal generador. Esta modalidad de conexión ha tenido más éxito a nivel de empresas. La conexión se realiza mediante un adaptador de red, módem o tarjeta RDSI, encargado de ajustar la velocidad entre el ordenador y la línea. Se requiere un operador de telecomunicaciones para instalar la línea lo que indudablemente encarece el servicio. Permite una velocidad de conexión de 64kbit/s. RDSI incluye diversos servicios de voz y de datos para un mismo usuario, tiene una buena calidad y sus tiempos de conexión son rápidos.

Las modalidades de Banda Ancha permiten unas velocidades de conexión superiores: oscilan entre 200 Bbps y los 6 Mbss. La velocidad de descarga es generalmente superior a la de subida de los datos. Los equipos se conectan a la banda ancha a través de cables de teléfono, eléctricos, coaxial o de forma inalámbrica. La conexión a Internet y las llamadas de voz suceden por la misma línea.

3. DSL (Línea de abonado digital): Del inglés *Digital Subscriber Line* es un término utilizado para referirse de forma global a todas las tecnologías proveedoras de una conexión digital sobre la línea de abonado de la red telefónica local. Es decir, funcionan a través de las líneas telefónicas, y permiten contratar los servicios de conexión sin realizar otras instalaciones. Utilizan el par trenzado de hilos de cobre convencional de las líneas telefónicas para transmitir datos a gran velocidad, por banda ancha, a diferentes frecuencias para dividir los servicios de datos y de voz.

La diferencia entre ADSL y otras DSL radica en que la velocidad de descarga y de subida no son simétricas. Las ADSL permiten una mayor velocidad de descarga que de subida. Esta es la conexión a Internet más utilizada en la actualidad en los hogares. Su superioridad radica en la comodidad que ofrece al usuario: grandes velocidades con una excelente calidad en la transmisión de voz, datos e imágenes.

El problema principal de este modelo de acceso lo tienen las empresas con centralitas telefónicas, necesitadas de reemplazarlas para garantizar la compatibilidad, con un coste añadido. Las empresas usan más las conexiones simétricas, sobre todo las grandes, para garantizar la calidad en servicios como las videoconferencias.

Para conectarse a Internet utilizando una línea ADSL se necesita tener un módem o un *router* ADSL que la mayoría de los proveedores ofrecen gratuitamente. Es preferible un *router* en lugar de un módem principalmente porque permite conectar en red varios ordenadores.

Hoy casi nadie duda en utilizar ADSL para conectarse a Internet y crece cada vez más el porciento de usuarios conectados con esta modalidad.

4. Cable: El cable es un acceso de alta velocidad para conectarse a Internet a través de un cable módem. Utiliza las líneas de cableado de fibra óptica de la TV. Con los cables de la televisión están garantizadas velocidades de 1,5 Mbps y superiores. Estas conexiones están teóricamente disponibles donde llegue la televisión por cable y son completamente independientes de las conexiones telefónicas habituales y, por tanto, de las líneas de Telefónica.

Las conexiones de Internet por cable se realizan con cables RG-6 o RG-59 conectados a un módem de cable en el ordenador que tienen dos conexiones una por cable a la conexión de la pared y otra al equipo por medio de interfaces Ethernet.

Los cables de fibra óptica permiten enviar información a larga distancia de forma rápida y con muy alta calidad. La fibra óptica tiene un ancho de banda casi ilimitado. El recubrimiento, además de proteger el conductor propiamente dicho, también evita la dispersión de la luz y con ello la pérdida de señal.

Este modo de conexión se utiliza básicamente en paquetes que incluyen una oferta televisiva y promociones en llamadas. Su problema fundamental es la disponibilidad porque el precio ha disminuido bastante en los últimos tiempos y las velocidades son 20 veces superiores a DSL. En la actualidad hay varias empresas en España como Movistar, ONO y Jazztell con conexión por fibra óptica. Su particular batalla induce a pensar en un abaratamiento mayor de los precios.

5. Red eléctrica : La banda ancha por línea eléctrica (*Broadband Over Power Lines*) consiste en propiciar el acceso a Internet a través de la red eléctrica

de bajo y medio voltaje. Su velocidad de transmisión es comparable a DSL. Es una modalidad emergente todavía en desarrollo y su ventaja radica en la disponibilidad de líneas eléctricas.

6. Satélite: Utiliza como medio de comunicación un satélite, un sistema de acceso muy recomendable en aquellos lugares a donde no llega el cable o la telefonía. En una ciudad constituye un sistema alternativo a los usuales, para evitar atascos debido a la saturación de las líneas convencionales y un ancho de banda limitado. Para poder conectarse a la red a través de un satélite, son imprescindibles tarjetas de datos de recepción vía satélite. Este servicio puede verse interrumpido por condiciones climatológicas adversas.

7. Wireless: En esta conexión no se utiliza un medio físico de propagación, sino la modulación de ondas electromagnéticas. Estas ondas se propagan por el espacio. La fidelidad inalámbrica (Wi-Fi) es una tecnología fija de corto rango con un servicio DSL para realizar la conexión a Internet. Casi todos los varios proveedores de Internet ofrecen gratuitamente un *router* inalámbrico. Este modelo de conexión permite tener un acceso a Internet de alta velocidad compartido varios ordenadores y dispositivos sin

cables simultáneamente. Podemos encontrarlo cada vez más en aeropuertos, hoteles y otras áreas de servicios.

LA NUEVA REVOLUCIÓN: TECNOLOGÍA INALÁMBRICA

Hace poco más de 100 años, un físico e inventor italiano llamado *Guglielmo Marconi* fue la primera persona en transmitir con éxito por las ondas de radio. Desde entonces, el mundo no ha vuelto a ser el mismo. Sin las transmisiones inalámbricas no existirían los medios de comunicación como la radio, ni televisión, ni comunicaciones instantáneas vía satélite. En muchos de los países pobres de la tierra es más sencillo comunicarse utilizando teléfonos móviles que teléfonos fijos a causa del inmenso coste asociado a la colocación de cables a lo largo de grandes distancias. No es una tecnología nueva, solo que ahora está siendo utilizada en Internet. Una red inalámbrica en Internet significa tener varios dispositivos conectados sin necesidad de cables.

La tecnología inalámbrica permite enviar información a miles de kilómetros, y sobre todo permite utilizar Internet desde cualquier sitio, si tiene el dispositivo adecuado: un ordenador portátil, un *Tablet* o un *Smartphone*. También puede conectar inalámbricamente un teclado, una impresora o un ratón y evitando los cables. La tecnología inalámbrica no resulta particularmente cara porque no requiere de una gran infraestructura y soporte como el cable.

Todas las transmisiones inalámbricas, bien se trate del código Morse de la época de Marconi o de la información digital actual, transportan la información a través de ondas invisibles. Las ondas forman parte del espectro electromagnético: las ondas de energía incluyen la luz visible, los rayos X, la luz ultravioleta, las microondas y otros tipos. La parte del espectro electromagnético utilizada para transmitir información se denomina radiofrecuencia (RF). La RF se utiliza para transmitir todo tipo de datos, desde las emisiones de radio, hasta las señales de televisión y los datos informáticos.

La información se transporta a través de las ondas utilizando un dispositivo denominado modulador. Estas ondas se propagan por el espacio. A veces se envía a un dispositivo situado a algunos centímetros de distancia del transmisor; otras, se emite a cientos o miles de kilómetros. En cualquier caso, cuando llega a su destino, ocurre un proceso de extracción. Ese proceso de modulación de información en una onda, transmisión de la onda, recepción y extracción de la información de dicha onda es la esencia de la tecnología inalámbrica.

> **Nota**: Cuando usted hace algo tan sencillo como cambiar de canal en su televisor, enviar o recibir correo electrónico en su teléfono móvil, esté utilizando una tecnología que tiene más de cien años de antigüedad, pero que es tan actual y relevante como cualquier tecnología moderna.

Tipos de redes inalámbricas

Las redes inalámbricas más comunes con:

▶ Redes WLAN (Wireless Local Area Network): Es una red inalámbrica de área local, donde una serie de dispositivos se comunican entre sí en zonas geográficas limitadas sin utilizar cables. Su principal limitación es su poco alcance. Una WLAN tiene un alcance máximo de 90 m.

Su elemento fundamental es el punto de acceso (AP), un pequeño dispositivo de telecomunicaciones que funciona por radiofrecuencia y conecta los distintos ordenadores que forman la red. Los AP tienen una pequeña antena que envía la información al resto de dispositivos a través de las ondas, creando un área de cobertura a su alrededor, desde donde es posible conectarse.

La sencillez de la tecnología y su bajo coste la ha hecho protagonista en hogares, empresas y muchos sitios de acceso público a Internet, como aeropuertos, hoteles, cafeterías y otros, la hayan adoptado.

► Redes Wi-Fi (Wireless Fidelity): Cuando el cable módem y el DSL comenzaron a ser de uso rutinario se rebeló la utilidad de usar una red inalámbrica para acceder a la red telefónica. Entonces Wi-Fi, la marca de la *Wi-Fi Alliance* comenzó a ser muy reconocida.

Este red genera potentes señales inalámbricas con un alcance de hasta de 100 metros, a menos encuentren gruesas muros en su camino, en cuyo caso, necesitara un *router* mas potente.

Un ruter o enrutador es un dispositivo de interconexión de redes informáticas para asegurar el enrutamiento de paquetes entre redes o determinar la ruta que debe tomar el paquete de datos (véase la figura 3,6).

► El estándares IEEE 802.11b es sinónimo del término Wi-Fi. El IEEE es la organización comercial encargada de probar y certificar que los equipos cumplen el estándar a través de su regulación. El número 802.11b, es como el apellido de cada norma.

Figura 3.6. Router.

Este estándar hace posible a las empresas de hardware fabricar productos inalámbricos compatibles, que puedan comunicarse entre sí. Las velocidades de transmisión alcanzan un abanico entre los 2 Mbps hasta un máximo teórico de 11 Mbps.

Para los usuarios domésticos, usar la tecnología Wi-Fi significa poder compartir una conexión a Internet de alta velocidad entre varios dispositivos sin necesidad de conectarlos mediante cables. Deben disponer de un acceso a Internet de banda ancha, como puede ser ADSL e instalar los dispositivos con tarjetas de red inalámbrica, cuya señal, pasará siempre por el dispositivo central. Los dispositivos Wi-Fi también permiten la conexión a través del cable, mediante tarjetas Ethernet tradicionales.

De forma similar funciona en una empresa; la tecnología Wi-Fi permite flexibilizar el entorno de trabajo permitiendo cambios en los puestos de trabajo. La velocidad ya no es un reto en las conexiones inalámbricas, ya es posible transferir archivos grandes entre los ordenadores y navegar a velocidades impresionantes.

En la actualidad muchas de estas redes no están protegidas y son vulnerables a los piratas informáticos que pueden robar datos, introducir virus, incluir publicidad o atacar los ordenadores. Para evitar las intromisiones, todos los puntos de acceso permiten crear un único nombre, el llamado SSID o identificador de conjunto de servicios, para la red Wi-Fi. Este identificador debe cambiarse con regularidad.

Otra forma de protección es crear el equivalente a una lista de invitados para la red Wi-Fi. En la configuración de un punto de acceso, los usuarios pueden especificar qué máquinas pueden conectarse con la red. En el lenguaje de la red, esto se conoce como

dirección MAC (control de acceso o soporte). Por supuesto, la mayoría de los productos Wi-Fi han confiado desde hace tiempo en los sistemas de encriptación, llamados *Wired Equivalent Privacy* (WEP - Privacidad equivalente al cableado), para hacer irreconocibles los datos transmitidos entre los puntos de acceso y los ordenadores equipados con tecnología inalámbrica. Seguir este protocolo no es fácil y requiere cierta práctica.

La utilización de la tecnología Wi-Fi esta consolidada y estandarizada, tiene muchos usuarios y diversidad de fabricantes.

▶ Redes WPAN (*Wireless Personal Area Network*): Es una red inalámbrica de área personal con una zona de cobertura de poco más o menos 10 m alrededor del usuario, donde quiera se encuentre. Bluetooth emite una señal más débil y se usa para conectar dispositivos a distancias cortas, tales como el teclado del ordenador o el teléfono móvil a un auricular.

Se utiliza en todos los dispositivos de última generación para la comunicación portátil: ordenadores portátiles, teléfonos móviles, Tablets, reproductores mp3 y otros.

Existe un organismo regulador, el IEES, encargado de confeccionar estándares que proporcionen seguridad y estabilidad a las WPAN. El estándar prioritario es el 802.15. Dentro de las WPAN, destaca la tecnología *Bluetooth,* conocida por casi todos los usuarios de telefonía móvil, una tecnología inalámbrica por radio para redes de bajo coste que utiliza un único chip para poner en comunicación a los dispositivos. Tiene un alcance limitado de unos 10 metros normalmente en dispositivos pequeños, como los teléfonos móviles, aunque en otros equipos mayores, como los ordenadores portátiles cuentan con transmisores más potentes, que pueden alcanzar hasta los 100 metros.

La seguridad también constituye un problema para los usuarios de esta tecnología. Los hackers pueden ocasionar problemas explotando los fallos en la configuración y programación del sistema. Los más sensibles son los *Smartphones* y los *Tablets*.

► Redes WWAN (*Wireless Wide Area Network*): Son redes inalámbricas de largo alcance basadas en la telefonía móvil. La distancia máxima es de 30 km. Utilizan antenas en lugares altos para transmitir ondas de radio o utilizan energía de microondas para conectarse, a su vez, con otras redes de área local. Estas antenas han generado mucha polémica por sus posibles peligros para la salud y su antiestética presencia, aunque muchas zonas residenciales aceptan la instalación por lo interesante que resulta la gratificación a las cuentas comunitarias.

La principal función de la tecnología es transformar el entorno humano, para adaptarlo mejor a las necesidades del hombre. La tecnología inalámbrica es capaz de obtener información y comunicar desde cualquier dispositivo móvil. Ofrecen a las compañías una ventaja competitiva definitiva, mientras aumentan su productividad. La tecnología inalámbrica y la telefonía móvil están transformando al mundo. Todavía seremos testigos presenciales de nuevos descubrimientos y debates en esta autentica revolución.

4. La búsqueda de información en Internet

A medida que aumenta la cantidad de información disponible en la red, mayor es la necesidad de crear herramientas para facilitar las búsquedas. Para eso están los buscadores o motores de búsqueda, encargados de encontrar, recopilar y ordenar los contenidos de la Web.

Los buscadores seleccionan las páginas a partir de palabras claves y devuelven un listado de sitios afines, en función de determinadas prioridades. Los buscadores están respaldados por potentes bases de datos donde se alojan los nombres, las direcciones y las claves de los sitios Web.

La búsqueda de información es una de las funciones más comunes en Internet, pero nadie sería capaz de recordar todas las direcciones Web que necesita. Cuando no esté seguro del nombre exacto de una dirección, el mejor lugar donde puede comprobarlo es en un buscador. Encontrar un sitio Web es tan solo una de las funciones de los buscadores, pero tiene más. Y hablando de búsquedas, seguro que también ha oído hablar de los directorios, pero, ¿cuál es la diferencia entre un buscador y un directorio?

Lo veremos todo en este capítulo.

LOS BUSCADORES O MOTORES DE BÚSQUEDA

Los sistemas de búsqueda de información más utilizados son los motores de búsqueda. Ellos indexan los archivos almacenados en los servidores a través de programas llamados *spider,* que van examinando la mayor cantidad de páginas Web posibles, automáticamente durante 24 horas y recopilando previamente la información.

> **Nota:** Los motores de búsqueda son un conjunto de programas con diferentes funciones: los que exploran la red, los que construyen la base de datos y los que utiliza el usuario para realizar sus búsquedas.

Las búsquedas, repetimos, se hacen a través de palabras claves; llamadas también criterios de búsqueda y ofrecen como resultado un listado de direcciones afines, con una jerarquía específica.

Las palabras claves las define el creador de la página Web, a través de *meta tags*, aunque los motores de búsqueda analizan el contenido de cada página y realizan su propia selección.

Los buscadores tienen siempre en su interfaz una línea para que el usuario pueda introducir las palabras claves. La calidad de un buscador depende del número de documentos que contiene su base de datos y de las herramientas de búsqueda avanzada que posea. El orden de los resultados en los listados lo determinan factores como: la popularidad de la página y el número de enlaces que apuntan hacia ella.

Si el buscador recibe una aportación económica de algún sitio, su dirección aparece diferenciada en la parte superior resaltado con un fondo de otro color o en el lateral derecho. La lista oficial no distingue los sitios que hacen aportaciones económicas.

Teclee las palabras claves y a continuación pulse el botón que activa la búsqueda, para obtener la lista de resultados clasificados por su relevancia.

Figura 4.1. Lista de resultados en Google por criterio de búsqueda: "Trágate ese sapo".

Cuantas más palabras claves incluya en la búsqueda, más precisos serán sus resultados, que suelen ser demasiados cuando se busca por una única palabra clave. Es muy recomendable introducir criterios de más de una palabra. La mayoría de los motores de búsqueda son gratuitos, aunque existen buscadores especializados, destinados a búsquedas de datos financieros y académicos, que requieren una suscripción y el pago de una cuota. Google es sin duda el rey del mercado de los buscadores, aunque existen otros importantes como: Yahoo, Lycos, Hispavista, AOL y Excite. En este capítulo, nos concentraremos en Google y Yahoo!

Google

¿Quién no ha oído hablar de Google? Sobre él se ha escrito de todo, bueno y malo; pero detractores y admiradores coinciden al reconocer su éxito. Google es uno de los estandartes de Internet; basta preguntarse cuántas personas en el mundo lo tienen definido como página principal de sus ordenadores, para poder acceder a él inmediatamente. La figura 4.2 muestra la sencilla interfaz de Google, que se limita a presentar sus herramientas de búsqueda.

Breve historia

Google surgió en la Universidad de *Stanford*, Estados Unidos. Larry Page y Serguei Brin desarrollaron un motor de búsqueda al que llamaron *BackRub*. Cuando terminaron su etapa estudiantil, decidieron bautizarlo como, *Google*; un término inventado con sonido similar a "googol", en español gúgol (o sea 1.0×10^{100}). Nació con el objetivo de acceder a la vastísima cantidad de información que hay en la red.

Figura 4.2. http://google.es.

Este fue el origen de *Google Inc.*, la empresa propietaria de la marca que registró la dirección `http://www.google.com/`, la de su sitio Web principal. Su potente buscador para recolectar información y su sencilla interfaz, fueron y son la clave de su éxito.

Google ofrece otros servicios útiles. Destacan su revolucionario correo electrónico gratuito, el conocido *Gmail*; *Google Maps,* para ver mapas y buscar negocios locales en la Web; un excelente traductor gratis, para traducir instantáneamente textos y páginas Web; el muy conocido *Google Earth*, su programa mapamundi en 3D, que permite volar a cualquier lugar para ver imágenes de satélite, mapas, imágenes en relieve y edificios 3D; *Google Chrome* su navegador, una combinación de diseño minimalista con tecnología avanzada; *Google Play,* con el que puedes descubrir y comprar aplicaciones y juegos en tu dispositivo *Android* o en la Web, que acaba de aterrizar en España.

En octubre de 2006, Google adquirió la famosa página *YouTube*, donde los usuarios pueden subir y compartir vídeos.

Los servidores de Google utilizan una distribución de Linux como sistema operativo. Para la recolección de información existen dos *spiders*: *Googlebot* y *Freshbot*. El primero es el encargado de recorrer todas las páginas Web, buscando los contenidos para la base de datos.

El segundo recopila la información de sitios Web que funcionan en tiempo real; como los periódicos y revistas digitales.

La búsqueda en Google

Como todas las aplicaciones de Internet, Google necesita que ejecute antes un navegador. Uno de los grandes méritos de Google es su simplicidad. Haga clic en el cuadro de búsqueda, teclee sus términos y luego pulse el botón **Búsqueda**.

Dependiendo de la cantidad de palabras claves introducidas se presentarán los resultados que irán, desde unos cuantos cientos a millones. En la mayoría de los casos, encontrará el fin deseado, aunque no descarte que a veces la búsqueda termine en frustración.

> **Nota:** Detrás de esta sencillez de Google, se esconde uno de los sistemas de búsqueda más avanzados del mundo.

La interfaz

Observe la interfaz de Google de la figura 4.2. Destaca el cuadro de búsqueda con forma de rectángulo donde se introducen las palabras claves o criterio de búsqueda. Y debajo los botones: **Búsqueda en Google** y **Voy a Tener Suerte.**

Google permite mostrar la interfaz de búsqueda en diferentes idiomas. En el caso de Google España, puede escoger entre catalán, gallego, euskera y español; esta última es la opción predeterminada. La figura 4.3 muestra la interfaz de Google en gallego.

Los criterios de búsqueda son las palabras introducidas para indicar a Google qué debe buscar. Puede ser una palabra, **Sapo**, o más de una palabra, **Trágate sapo**, o una frase completa, **"Trágate ese sapo"**.

Nota: Si incluye varias palabras, Google muestra primero las páginas en las que aparezcan todas las palabras, luego donde no aparece una y así en orden descendente.

Puede utilizar en la búsqueda cualquier palabra o combinaciones de números y fechas, incluidas direcciones de correo electrónico. A la hora de realizar la búsqueda, debe tener en cuenta las siguientes consideraciones:

▶ Cuando busque una cadena exacta de texto, escríbala entre comillas.

Figura 4.3. La interfaz de Google en gallego.

▶ Cuantas más palabras utilice, más concretos serán sus resultados. Comience con búsquedas más generales, para luego ir detallándolas si los resultados no son satisfactorios.

▶ Es importante escribir correctamente los criterios de búsqueda. Dependiendo de diversos factores, Google tendrá o no en cuenta las tildes. Si en su búsqueda introduce las tildes, obtendrá resultados con ellas y viceversa.

▶ Evite el uso de preposiciones, conjunciones y artículos. Google no los considera en sus búsquedas.

▶ No importa si usa letras mayúsculas o minúsculas al escribir las palabras de su búsqueda.

▶ Puede eliminar la referencia a un criterio usando el signo menos (–). Conseguirá que Google ignore las páginas que contienen esta palabra.

▶ Puede con igual provecho, usar el signo más (+). Google, ignoran ciertas palabras como "el", "u" e "y", así como los números y otros caracteres como

"¿?" y "¡!". Si desea, busque un criterio que contenga por ejemplo el número 5, el cual debe especificar con un +5.

Una vez tecleadas las palabras claves, si pulsa el botón **Buscar en Google**, aparecerán los mismos resultados que cuando pulsa **Intro**. En cambio, si pulsa el botón **Voy a Tener Suerte**, el resultado será la apertura de la página Web situada en primer lugar, dentro del listado de resultados. De cualquier forma, es difícil que esa página sea realmente la única que necesita. Compruebe su suerte.

Las opciones de búsqueda situadas arriba de la interfaz, establecen el ámbito de la búsqueda. El botón **Búsqueda** es la opción por defecto y realiza la búsqueda de páginas por toda la Web. Una vez realizada esta acción, aparece el listado de resultados.

Observe la barra de herramientas de Google (véase la figura 4.4); al final aparece la Pestaña Herramienta de Búsqueda que activa nuevas y más concretas opciones de búsqueda.

Haga clic en la Pestaña Herramienta de Búsqueda y se activan los menús que aparecen en la figura 4.5. La Web, Cualquier fecha, Todos los resultados y Madrid, para activar otros criterios de búsqueda más específicos.

Figura 4.4. Las herramientas del botón búsqueda.

+Tú Búsqueda Imágenes Maps Play YouTube Noticias Gmail Drive Calendar Más
Google
"Trágate ese sapo"
Web Imágenes Maps Shopping Más
Herramientas de búsqueda
La Web Cualquier fecha Todos los resultados Madrid

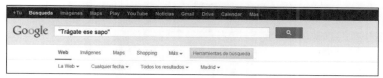

Figura 4.5. La barra de Menú para búsquedas más concretas.

El resultado de las búsquedas

Los resultados de la búsqueda se ordenan según la importancia que le concede el buscador y en función de diferentes parámetros como:

- Densidad de la palabra clave en el cuerpo de la página.
- Densidad de la palabra clave en el título de la página.
- Número de enlaces externos que apuntan a la página.
- Antigüedad del dominio.
- Poco peso de la Página.

Entre los resultados, pueden aparecer varias páginas del mismo sitio Web. Google anida las páginas de un mismo sitio y las ordena por importancia.

Cada resultado de búsqueda posee el título de la página que se representa con letras más grandes y de color azul, como nuestra la figura 4.6. Si la página no tiene título sólo aparece su URL. Este título, a su vez, enlaza con la página. Como cualquier enlace, si hace clic sobre él, se abrirá automáticamente la página Web.

Si la página encontrada no coincide con el idioma definido, al lado del título de la página aparecerá la pestaña Traducir esta página, para que Google traduzca la página y la devuelva traducida.

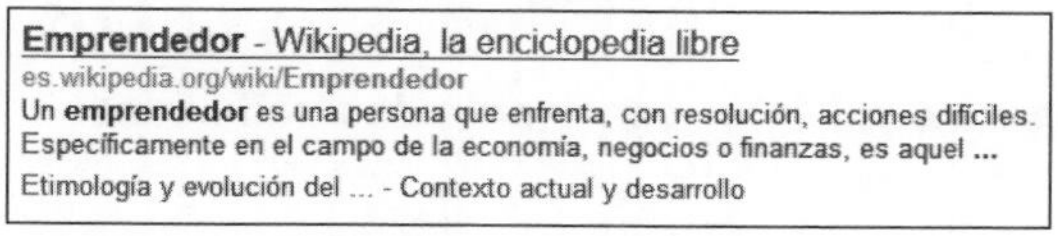

Emprendedor - Wikipedia, la enciclopedia libre
es.wikipedia.org/wiki/Emprendedor
Un emprendedor es una persona que enfrenta, con resolución, acciones difíciles.
Específicamente en el campo de la economía, negocios o finanzas, es aquel ...
Etimología y evolución del ... - Contexto actual y desarrollo

Figura 4.6. Resultado de una búsqueda.

La figura 4.7 muestra una página extranjera después de la traducción.

Google realiza una traducción automática con su programa traductor. En esta traducción es posible perder el sentido de algunas frases. Aunque Google no es un traductor profesional, suele mantener la esencia para la compresión.

Debajo del título aparece, en color verde, la URL exacta de la página encontrada.

Figura 4.7. Página con contenidos traducidos.

A continuación, surgen unas líneas con cadenas de textos tomadas de la página, donde resaltan las palabras que forman parte de los criterios de búsqueda. Estos textos se muestran en color negro dentro del contexto, para que pueda orientarse y determinar si el resultado le interesa.

Al final de la lista aparecen enlaces numéricos para desplazarse por las páginas de resultados. Puede navegar a la siguiente página haciendo clic en **Siguiente** o acceder a una página concreta haciendo clic sobre el número de la página. Si desea volver atrás, haga clic en el botón **Anterior**.

Figura 4.8. Desplazamientos por las páginas en Google.

La palabra Google también sirve para navegar por las páginas de resultados. La **G** inicial funciona como el botón **Anterior** y las letras finales **gle** funcionan como **Siguiente**. Las **oes** interiores sirven para acceder directamente a un número de página determinado.

La publicidad

Google muestra sus anuncios publicitarios en su página de resultados, en una zona delimitada. La publicidad nunca aparece mezclada en el listado con los resultados de la búsqueda. Google indica que se trata de publicidad con la frase Anuncios, que muestra la figura 4.9.

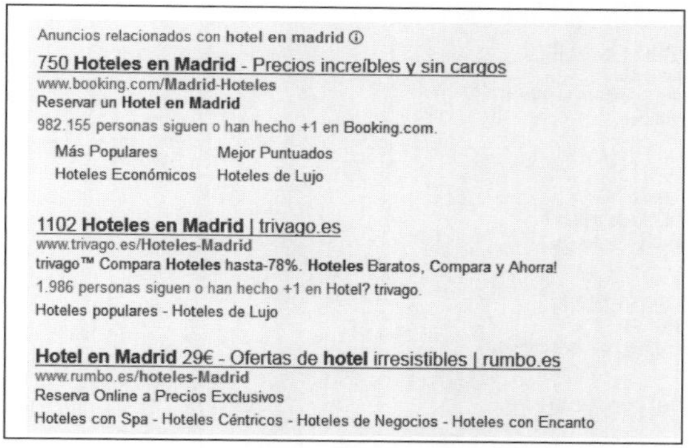

Figura 4.9. Anuncios en Google.

Los anuncios se muestran en dos zonas. Los más importantes y mejor pagados aparecen arriba, debajo de la barra de estadísticas, con un color de fondo beige claro; los otros en una columna que se activa a la derecha del listado de resultados.

Trucos de búsqueda

A continuación, ofrecemos pequeños trucos que le ayudarán a sacar mayor provecho de las búsquedas en Google:

▶ Google realiza las búsqueda ignorando preposiciones, conjunciones y artículos. Por ejemplo, si busca **libro El arte de la ilustración**, el programa devuelve las páginas que contienen estas palabras en cualquier parte del texto, ignorando: **el, la y de**. Si desea que el programa considere preposiciones, conjunciones y artículos, debe incluir el signo + delante de cada uno de ellos: **libro +El arte +de +la ilustración**.

Las figuras 4.10 y 4.11 muestran el resultado de la búsqueda con el mismo criterio, pero introduciendo el signo de + delante de preposiciones, conjunciones y artículos.

▶ **Verbatim** realiza la búsqueda exacta de una frase o secuencia de texto. Las palabras aparecen en el mismo lugar y en el mismo orden.

▶ También puede obtener expresiones completas si introduce unas comillas al criterio de búsqueda, como por ejemplo: **"libro El arte de la ilustración"**.

▶ El carácter (*) sirve de comodín a cualquier palabra en la búsquedas de expresiones exactas, pero sólo para palabras completas. La búsqueda **"libro El * de la Ilustración"** produce los siguientes resultados (figura 4.12).

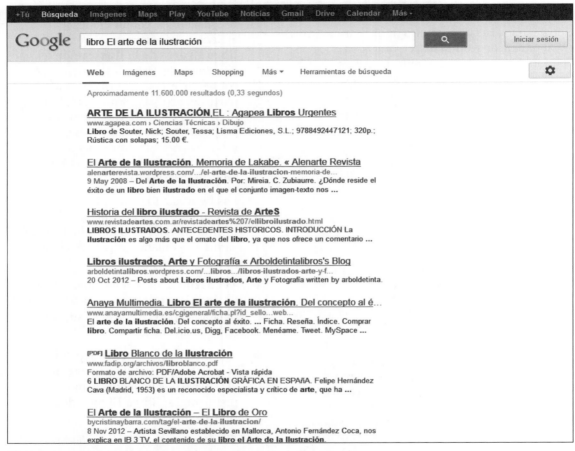

Figura 4.10. Criterio de Búsqueda: libro El arte de la ilustración.

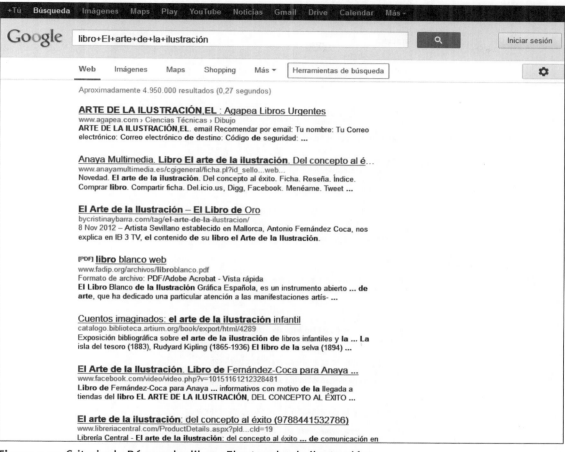

Figura 4.11. Criterio de Búsqueda: libro +El arte +de +la ilustración.

Figura 4.12. Criterio de Búsqueda "libro El * de la Ilustración".

- ▶ Si busca páginas que contengan varias expresiones, escríbalas una detrás de otra. Considere que el orden en que introduce el criterio de búsqueda, influye en el orden de aparición de los resultados.

- ▶ Si necesita páginas que contengan al menos una de las cadenas de texto, utilice el operador *or*. Puede utilizar paréntesis para combinar las operaciones anteriores.

Búsqueda especializada en Google de Noticias, Imágenes y Vídeos

Dentro del buscador de Google, podemos segmentar las búsquedas y enfocar dicha búsqueda a formatos como las Noticias, las Imágenes y los Vídeos. En la barra superior izquierda del buscador, tenemos varios enlaces relacionadas con diferentes tipologías de búsqueda.

Figura 4.13. Enlaces para utilizar las búsquedas de imágenes, vídeos (Youtube) y Noticias.

Por ejemplo, si queremos buscar solamente imágenes en Internet, podemos hacer clic en la Pestaña Imágenes y luego poner en el buscador, la frase relacionada con nuestra búsqueda. Los resultados mostrados serán únicamente imágenes que se han insertado en distintos sitios Web (véase la figura 4.14).

En el caso de las noticias, también existe un buscador dentro de Google, especializado en rastrear noticias. Este buscador tiene indexado la mayoría de periódicos online y hace la búsqueda en este tipo de portales Web.

En el caso de la búsqueda de vídeos, tenemos la Opción Youtube, que es la red social de Vídeos de Google. Al acceder a este enlace podemos hacer la búsqueda de vídeos dentro de Youtube, que representa el 90 por 100 de los vídeos diarios publicados en la red.

Yahoo!

En abril de 1994 *David Filo* y *Jerry Yang* crearon *Yahoo!*: una colección de páginas Web favoritas que luego se convirtió en buscador. *Yahoo!* se transformó además en un portal de éxito. Su constitución como empresa fue el 2 de marzo de 1995 y comenzó a cotizar en bolsa el 12 de abril de 1996. El *Complex* tiene su sede corporativa en *Sunnyvale*, California, Estados Unidos. Su objetivo es generar beneficios para construir una marca que perdure durante años; un servicio global de Internet importante para el consumo y los negocios.

Figura 4.14. Resultados del Buscador de Imágenes de Google para la frase "autobus escolar".

Yahoo! es después de *Google* y *Bing,* el tercer buscador más utilizado del mercado. Posee un directorio Web, y un conjunto de servicios, donde destaca, su correo electrónico.

El 29 de julio de 2009 anunció, que en 10 años Microsoft tendría acceso completo al motor de búsqueda de *Yahoo!,* para usarlo con *Bing.*

Además de poder utilizar el buscador, la interfaz temática de *Yahoo!,* permite moverse por cada categoría. Esta particularidad agiliza la localización de cualquier tipo de información especializada (figura 4.15).

El directorio de Yahoo! está formado por categorías que también pueden tener subcategorías. *Yahoo!* mantiene un equipo humano, denominado *Surfing,* que actualiza los contenidos de las categorías.

Interfaz

Yahoo! tiene justo arriba de su caja de búsqueda, las opciones: Web, Imágenes, Vídeo , Noticias, Compras **y** Más .

Figura 4.15. La interfaz de Yahoo!

En la zona izquierda están los llamados Sitios de Yahoo!, que puede organizar con el botón **Editar**. En la zona central aparecen las pestañas Noticas, Deportes, Finanzas y OMG!, que conduce a páginas especializadas en cada tema, con los titulares en forma de fotografías, vídeos y enlaces.

En el extremo derecho aparecen los temas más populares, bajo el titulo de Las tendencias del día y en la esquina superior derecha, el acceso a la cuenta de correo electrónico, con almacenamiento ilimitado y que permite adjuntar archivos de hasta 25 megas.

Búsquedas

El proceso de búsqueda es como en Google; consiste en introducir palabras claves o criterio de búsqueda y hacer clic en el botón **Buscar** o pulsar **Intro**.

Puede seguir los siguientes pasos:

1. Introduzca una palabra de búsqueda: **Restaurante**, en el cuadro de búsqueda.
2. Haga clic en el botón **Imágenes**.
3. En el panel de opciones de la izquierda, seleccione la opción Más reciente.

4. Se activa una página de resultados con las imágenes más recientes, relacionadas con el término **Restaurante** como se muestra en la figura 4.16.

La búsqueda avanzada abre un formulario, donde se pueden concretar las búsquedas para: mostrar resultados con todas las palabras , la frase exacta , cualquiera de estas palabras o ninguna de estas palabras (véase la figura 4.17).

Yahoo! introduce en el menú de búsquedas el botón Respuestas. Introduzca la pregunta **Cuál es el mejor restaurante de La latina Madrid** y vea el resultado en la figura 4.18.

Bing

Bing es el buscador Web de la empresa Microsoft. Antiguamente se llamaba MSN Search, luego cambió a Live Search, hasta llamarse Bing finalmente. Fue puesto en línea el 3 de junio de 2009.

El 29 de julio del 2009, Microsoft y Yahoo! anunciaron que Bing reemplazaría al buscador de Yahoo!. Dicho cambio se ejecutó en el año 2012. El buscador de Yahoo! es el mismo que Bing. Este último le cede su tecnología de búsqueda.

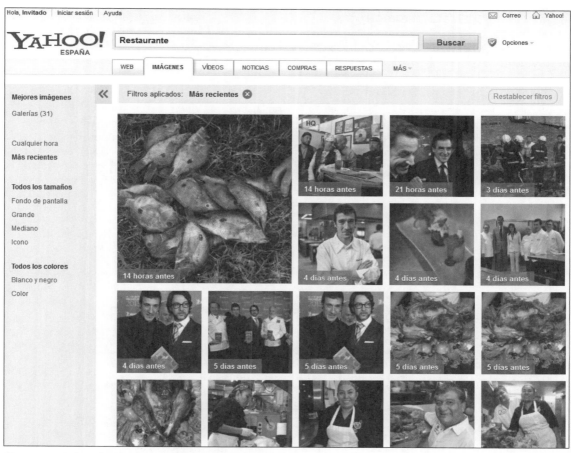

Figura 4.16. Resultado de búsqueda por imágenes.

YAHOO! SEARCH
ESPAÑA

Yahoo! España - Búsquedas - Ayuda

Búsqueda avanzada

Consejo: Puedes usar las opciones que te damos en esta página para definir una búsqueda más específica. Sólo tienes que rellenar los campos que necesitas para tu búsqueda.

[Botón de búsqueda avanzada]

Mostrar resultados con

Todas estas palabras	Restaurante	en cualquier parte de la página ▾
La frase exacta		en cualquier parte de la página ▾
Cualquiera de estas palabras		en cualquier parte de la página ▾
Ninguna de estas palabras		en cualquier parte de la página ▾

Consejo: Utilice estas opciones para buscar una frase exacta o para excluir páginas que contengan determinadas palabras. También puede limitar la búsqueda a determinadas partes de las páginas.

Sitio/Dominio

◉ Cualquier dominio
○ Sólo dominios **.com** ○ Sólo dominios **.edu**
○ Sólo dominios **.gov** ○ Sólo dominios **.org**

○ buscar sólo en este dominio/sitio:

Consejo: Puedes buscar resultados en una determinada web (p.ej. yahoo.es) o en un dominio general (.com, .edu, .org, etc.)

Formato de archivo Buscar sólo resultados que sean: todos los formatos ▾

Filtro Adulto Se aplica cuando se ha iniciado sesión:

○ **Estricto**: filtra contenido adulto de los resultados de búsqueda web, imágenes y vídeos - Filtro Adulto activado

◉ **Moderado**: filtra contenido adulto sólo de los resultados de búsqueda de imágenes y vídeos - Filtro Adulto activado

○ **Desactivado**: no filtra resultados web (los resultados pueden incluir contenido para adultos) - Filtro Adulto desactivado

Nota: Cualquier usuario mayor de edad que haya iniciado sesión en su equipo puede cambiar esta configuración. Le recomendamos que compruebe de forma periódica la configuración del bloqueo del Filtro Adulto.

Aviso: El Filtro Adulto de Yahoo! está diseñado para eliminar contenido adulto de los resultados de Yahoo! Search. Sin embargo, y pese a utilizar la tecnología más avanzada, Yahoo! no puede garantizar que todo el contenido adulto quede realmente filtrado, pues no existe un sistema de estas características que acredite una efectividad absoluta.

Figura 4.17. El formulario de búsqueda avanzada en Yahoo!

Figura 4.18. Cuál es el mejor restaurante de La latina Madrid.

El buscador Bing posee una participación de mercado en todo el Mundo, de aproximadamente un 9 por 100. En España, posee mucho menos (véase la figura 4.19).

Algunas de las características principales de la interfaz de Bing:

► Todos los días cambia la imagen de fondo, que pertenecen a paisajes de varias partes del mundo. También se puede modificar el fondo de pantalla.

► Además de búsquedas Web, Bing permite hacer búsquedas de imágenes, vídeos y noticias.

Figura 4.19. Resultados de Búsqueda en Bing para la frase "trenes eléctricos".

► Permite hacer búsquedas para un idioma determinado o para los resultados de un país concreto.

► En el caso de la búsqueda de vídeo, muestra una miniatura con una imagen del vídeo, permitiendo que el usuario pueda desplazarse sobre dicha miniatura, iniciando automáticamente su reproducción. Es posible ajustar la búsqueda por longitud del vídeo, tamaño de pantalla, resolución y fuente.

► En el caso de las búsquedas de imágenes, es posible filtrar por tamaño, diseño, color, estilo y personas.

DIRECTORIOS O ÍNDICES TEMÁTICOS

Otro sistema de búsqueda son los directorios, que clasifican las páginas por temas, subtemas e incluso capítulos. Estos sistemas son bases de datos de direcciones Web, elaboradas manualmente; lo que implica que hay personal encargado de asignar cada página Web a una categoría determinada.

Los índices temáticos también pueden definirse como un sitio Web, con sistemas de búsqueda jerarquizados por temas o categorías. La mayoría posee un motor de búsqueda por palabras claves, para examinar el contenido del directorio. Los buenos directorios combinan ambos sistemas.

Las páginas Web, de los directorios las seleccionan manualmente personas encargadas en asignar cada página Web a una categoría determinada. Este proceso garantiza la calidad de la selección, por lo que pueden ser muy eficaces.

Los directorios tienden a especializarse en temáticas determinadas y las páginas se muestran ordenadas por estas temáticas. Para que una página Web aparezca en un directorio debe suscribirse a él. Esta suscripción requiere normalmente un aporte económico. La página se sitúa en lugares preferentes, de acuerdo a la cantidad aportada. Cualquiera puede sugerir un enlace a una categoría determinada, que

luego debe ser aprobada por un editor. Puede optar a ser editor rellenando un formulario en el que defiende su capacidad para organizar una categoría.

Algunos ejemplos de Directorios Web:

- ▶ `http://www.directorioonline.es`
- ▶ `http://link-gratis.com.ar`
- ▶ `http://11870.com`
- ▶ `http://www.hotfrog.es`
- ▶ `http://www.dmoz.org/World/Español`
- ▶ `http://directorio.compartimos.net`

ALERTAS EN LOS BUSCADORES: ALERTAS EN GOOGLE

Otra forma de estar bien informado de cierta información en Internet, es a través del uso de las alertas de Google. Esta funcionalidad consiste en el envío de mensajes al correo electrónico que recibimos, cada vez que el buscador Google encuentra un nuevo resultado en la Web, relacionado con una temática previamente sugerida por nosotros.

Por ejemplo, vamos a suponer, que deseamos estar informados sobre la temática "Ipad Mini". Cada vez que se publique una noticia o un artículo que contenga esa frase, nos llegará un correo electrónico avisándonos en qué página Web se ha publicado.

Figura 4.20. Formulario para configurar las alerta de Google para la frase "alfombras persas".

Para configurar una Alerta de Google hay que seguir estos pasos:

1. En primer lugar, etrar a la dirección Web http://www.google.es/ alerts?hl=es

2. Rellenar el formulario para definir la alerta que deseamos. En este apartado tenemos que escribir la frase que define la alerta y en qué tipo de publicación queremos que busque (noticias, webs, blogs). También qué frecuencia deseamos recibir la alerta y finalmente, el correo electrónico donde queremos que llegue la misma.

3. Una vez rellenado el formulario, Google nos enviará un email a la dirección de correo electrónico indicada para confirmar la alerta. Abrimos nuestro correo, seleccionamos el email de Alertas de Google y hacemos clic en el enlace de verificación. Con eso ya está establecida la alerta.

4. Cada vez que se publique una nueva noticia, artículo o mención en la Web sobre el tema propuesto en la alerta, nos llegará un correo electrónico con el aviso.

5. Adicionalmente si tenemos una cuenta de Google creada, podemos configurar varias alertas y administrarlas desde un mismo sitio para eliminarlas, modificarlas o añadir nuevas alertas.

SINDICACIÓN DE CONTENIDOS RSS

La sindicación de contenidos es una forma de redifusión (distribución) de información mediante la cual, parte de una página Web se pone a disposición desde otras páginas. En general, la sindicación Web consiste en ofrecer una fuente Web desde una página, para proporcionar a otras personas una lista actualizada de su contenido. Por ejemplo, noticias de un periódico, nuevos artículos en una bitácora, los últimos comentarios en un foro, etcétera.

La sindicación de contenidos es un verdadero canal de marketing directo. Permite enviar contenido a los suscriptores y a otros sitios Web. Una vez la información se encuentra en el formato para sindicar, un programa lector de contenidos sindicados, puede comprobar la redifusión en busca de actualizaciones.

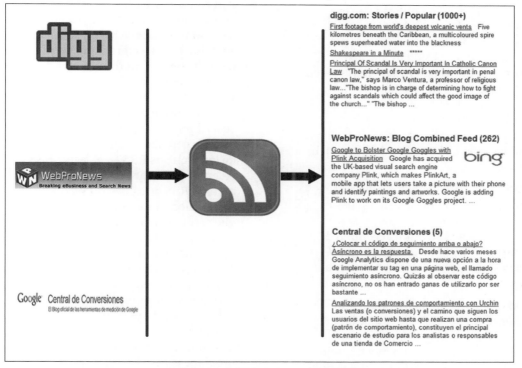

Figura 4.21. La sindicación de contenidos, permite importar información relevante de varios portales Web y leerlos todos en un solo gestor.

Glosario de términos relacionados con la sindicación de contenidos

► *Feed*: Es un paquete que contiene información para ser distribuida de forma fácil. El *feed* es un archivo generado por algunos sitios Web que contiene una versión específica de la información publicada en esa web. Cada elemento de información contenido dentro de un archivo *feed*, se llama "ítem". Cada ítem consta normalmente de un título, un resumen y un enlace o URL a la página Web de origen, o que contiene el texto completo. Además, puede incluir información adicional como la fecha de publicación o el nombre del autor del texto.

► **RSS:** es la tecnología (una de las que tenemos disponibles, otra de ellas es Atom) que permite a estos *feeds* ser distribuidos. RSS es un acrónimo de *Really Simple Syndication or Rich Site Summary*. Ambos, RSS y Atom, están basados en XML.

► **XML:** Es un lenguaje de marcado extensible estricto, de gran utilidad en el intercambio de datos, porque permite describirlos sin mostrárselos al usuario, pero siendo a su vez legibles a través de diversas aplicaciones (navegadores, bases de datos, etc.).

► **"Sindicar":** proceso mediante el cual los usuarios obtienen el contenido de estos *feeds*. En realidad, los visitantes no acceden a los *feeds* directamente, sino utilizando un software especializado: lectores de *feeds* o "agregadores".

► **Agregadores o lectores de *feeds*:** aplicaciones *online* donde podemos leer todos los *feeds* a los que nos hemos suscrito. Estos lectores consultan periódicamente las direcciones de los *feeds*, para descargar la última versión del archivo RSS y mostrar las actualizaciones. Por tanto, para suscribirse a los distintos *feeds* RSS, basta ir copiando y pegando la URL de los archivos RSS en el lector RSS. Además de fichar la dirección del archivo RSS de cada sitio Web, existen directorios y buscadores de *Weblogs* que contienen los *feeds* RSS. El manejo de un agregador de RSS viene a ser como una lista de favoritos. Vamos añadiendo los enlaces a los *feeds* que deseamos, podemos organizarlos en carpetas y verlos de distintas maneras: la lista de titulares de una carpeta, o titular con resumen, o incluso, ver directamente la página Web de la que proviene el *feed*. El lector de *feeds* más utilizado es Google Reader.

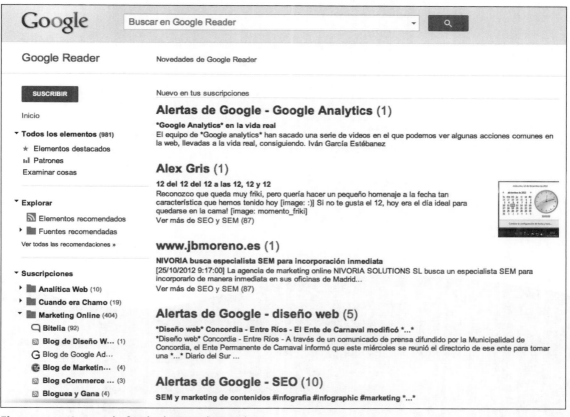

Figura 4.22. Lector de feeds de Google Reader.

5. Seguridad en Internet

INTRODUCCIÓN

Si se revelaran los secretos que guarda Internet en sus entrañas, más de uno temblaría. ¿Es usted consciente del rol que juega la seguridad en la red? Seguro que ha oído hablar anteriormente de este tema, pero le recomendamos que se detenga y reflexione sobre él, a fin de cuentas, no hay nada que genere tanta confianza, como la seguridad en todos los ámbitos de la vida. Existen distintos modos de proteger la información de los curiosos; pero ellos están ahí, esperando que se descuide, para introducirse en su sistema.

Por otro lado, la libertad en Internet es un derecho reconocido incluso por el Consejo de Derechos Humanos de la ONU, así como la garantía de acceso a la red. Internet se ha convertido en un enemigo de las dictaduras y de los poderosos, en su ansia por callar al resto. Y qué decir de las redes sociales que se han convertido en tribuna de todos, pero las preguntas son las siguientes: ¿Dónde están los límites?, ¿Cómo equilibrar la balanza entre libertad y seguridad?

El carácter global y abierto de Internet como motor para acelerar el progreso hacia el desarrollo es indiscutible, pero los límites deberían estar en el respeto a la privacidad y la seguridad de todos.

El protocolo TCP/IP fue diseñado sin considerar apenas elementos de seguridad, debido a su carácter abierto. Esto significa que cada usuario debe buscar sus propias soluciones de seguridad, es decir, las precauciones las adoptará usted.

TERMINOLOGÍA Y CONCEPTOS

Es importante repasar algunos conceptos imprescindibles para entender el tema de la seguridad en Internet.

Spam

El Spam es el envío masivo de correos no deseados para dar a conocer cualquier tipo de información. ¿Quién no encuentra cada día a estos indeseables en su cuenta de correo electrónico? Hay aplicaciones anti-spams disponibles para disuadirlos. Para ellos tenemos en el correo electrónico, la carpeta: Correo no deseado.

Malware

Del inglés *malicious software,* estos programas tienen como objetivo infiltrar, dañar o afectar de algún modo su sistema informático. Incluyen virus, troyanos, gusanos y *spyware.* Sus objetivos dependen más de las intenciones del programador al crearlo, que de sus características.

Virus

Los virus son programas cuyo propósito consiste en alterar el funcionamiento normal de los ordenadores, muchas veces con la destrucción de datos y siempre sin la aprobación de los usuarios. Los virus pueden destruir archivos esenciales o todos sus archivos de documentos. A veces logran que un ordenador infectado haga cosas tan raras como actuar en fechas específicas; como el Día de los Inocentes. Se pueden manifestar de otras maneras, como la destrucción de partes de su sistema operativo, o inutilizar la operación de arranque de su ordenador.

> **Nota:** Los virus se propagan a través de mensajes que recibimos en la red o se instalan desde un CD o DVD infestado, de dudoso origen. A menudo el virus viene disfrazado bajo el manto de un Troyano, que son los mayores portadores del virus.

Existen diferentes tipos de virus:

- ▶ **Residentes o parásitos:** instalados en la memoria del equipo, infectan a otros programas cuando éstos se ejecutan.

- ▶ **De arranque:** se instalan en el disco de arranque, cuando éste se ejecuta. Se distribuyen por todo el equipo.

- ▶ **Multipartitos:** capaces de infectar a todos los archivos, incluidos los del disco de arranque.

Hay virus relacionados directamente con la Web, como los ActiveX malicioso que se localizan en los sitios Web y se ejecutan automáticamente cuando se visita la página; u otros que aprovechan la programación con Java, Javascript o el propio HTML, para infectar los ordenadores.

Troyanos

El Troyano es un programa que aparenta ser inofensivo; se introduce en nuestro ordenador sin aparente peligro, pero suele esconder un virus o un gusano. Nada más parecido al famoso caballo de Troya. El problema de los troyanos es que usted puede descargarse, con inocencia, un juego o una fotografía, pero cuando las utiliza, el gusano o el virus comienzan a actuar. A veces solo tienen la intención de incordiar, pero lo más común es que el virus o el gusano que esconden causen daños serios en su sistema. Una vez en el sistema abren puertos y permiten el acceso desde el exterior de todo tipo de acciones no autorizadas.

Los troyanos se administran remotamente, es decir, hay un intruso externo controlando su ordenador. Ellos son uno de los grandes peligros de la red. Imagínese que alguien pueda controlarle y ver a su antojo lo que usted hace en su ordenador. Eso existe, así que esté alerta.

Para que un troyano funcione, es obligatorio que el programa de control remoto esté instalado en los dos ordenadores: el suyo y el de su agresor. Por supuesto, el dueño del equipo infectado, no sabe que está siendo controlado desde el exterior, por lo que las consecuencias pueden ser insalvables. El mayor enemigo de los troyanos es el sentido común y su intuición. Cuando reciba un archivo desconocido nunca lo ejecute; nunca es nunca, sin excepciones. La forma más común de recibir un troyano es a través del correo electrónico y de los archivos que llegan por las aplicaciones de la mensajería instantánea, como Skype. Existe un tipo de troyano llamado **Keyloggers** o Grabadores de teclas, que registran el texto mientras lo teclea. Esta es una forma rápida de hacerse con contraseñas y nombres de usuario.

> **Advertencia:** La mejor opción para defenderse de un troyano es instalando un cortafuego.

Gusanos

Los gusanos operan de manera diferente multiplicándose dentro del sistema. Generalmente se introducen a través de mensajes de e-mail. Es posible descargarse troyanos que tengan incrustado un gusano. Si usted recibe un gusano, cuando lo ejecute este enviará mensajes a todas las direcciones que estén en su lista de correo. Si tiene una cuenta muy extensa, esto puede significar el envío de mensajes infectados a cientos de personas y la multiplicación exponencial. Cuántas veces no hemos recibido algún gusano de algún conocido. Cuidado con abrirlos.

El principal objetivo de los gusanos no es hacer daño a su ordenador; persigue fundamentalmente llamar la atención. El gusano no hace nada hasta que recibe la orden de actuar de su creador, que entonces puede controlar su ordenador-y los de otros muchos infectados- para formar una gigantesca red conocida como "*botnet*". Los ordenadores infectados son utilizados como trampolín a otros ordenadores, para lanzar ataques. Los gusanos se transmiten a velocidades insospechadas y causan grandes pérdidas de tiempo y como consecuencia, de dinero. Ahora mismo los gusanos tienen gran propagación por la red, debido a su facilidad de creación y su gran movilidad.

Spyware

Estos son programas espías, encargados de recopilar información personal del usuario sin su consentimiento. Están pensados, sobre todo, para interceptar, controlar y comunicar las actividades realizadas en un ordenador. Se especializan en registrar y robar nombres de usuario y contraseñas, datos de cuentas bancarias, direcciones de correo electrónico y páginas Web visitadas. El *spyware* no suele

provocar daños en el equipo, pero que daño puede ser mayor que le roben su información personal.

Phishing

Aunque suene a la pesca del atún, el *Phishing* hace alusión al intento de robar datos confidenciales, usando algún disfraz en forma de programa, foto o enlace. Revise muy bien los e-mails que recibe para evitar un intento de *Phishing*. La figura 5.1 es un intento de *Phishing*.

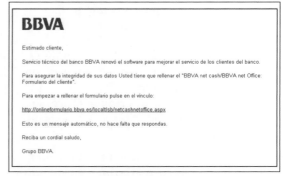

Figura 5.1. e-mail intento de Phishing.

Aunque la información parezca normal, cuando hay un intento de *Phishing* siempre hay puntos cuestionables. Cuando tenga muchas dudas sobre la autenticidad de un mensaje, compárelo con otro de la misma organización o banco. Observe con detalle el LOGO, compruebe sin son iguales, y analice el resto de detalles. Estos mensajes casi nunca se dirigen a usted por su nombre, ni ofrecen una dirección completa, ni un número de teléfono.

> **Nota:** La modalidad más común de *Phishing*, es el envío de un mensaje de correo electrónico que imita el formato de un auténtico mensaje de algún banco o entidad. Generalmente vendrá acompañado de enlaces para realizar transacciones y terminará solicitándole sus datos secretos.

A veces, estos mensajes están muy bien hechos y parecen muy convincentes, asegurándole que ellos representan la mejor opción para usted, cuando su intención es totalmente la opuesta. Los bancos casi siempre se dirigen a usted con una carta común. Incluso cuando el banco telefonea, es una precaución sabia agradecerle y devolverle la llamada al número de teléfono que figura en su contrato de cuenta bancaria. Asegúrese siempre de quiénes son los auténticos representantes de su banco.

Adware. Advertising-Supported software

Programas que despliegan anuncios publicitarios, que vienen incluidos dentro de alguna aplicación Web. Algunos tienen funciones de *spyware*. Suelen venir incluidos en programas *Shareware*. Al aceptar los términos legales durante la instalación de dichos programas, estamos admitiendo su ejecución en nuestros ordenadores. Un ejemplo de *Adware* son los *banners* publicitarios.

Una aplicación muy utilizada para detectar *spyware* y *adware* es *Ad-Aware* (figura 5.2).

Hacker

Los hackers son apasionados de la seguridad informática, con conocimientos expertos sobre el tema. Cuando pensamos en un hacker inmediatamente imaginamos a alguien haciendo entradas remotas no autorizadas en un ordenador a través de las redes, pero en realidad muchos se dedican a tareas más constructivas, como depurar y arreglar errores en los sistemas. Un hacker crea y modifica software y hardware, para desarrollar funciones, sin que estas modificaciones tengan que ser obligatoriamente dañinas para el usuario.

Casi todos abogan por el acceso libre a la información, mientras protestan y hacen centro de sus ataques a las empresas, pues su objetivo principal es lucrarse con la red. Su sueño es burlar los sistemas de máxima seguridad de las más importantes empresas y entidades; muchas veces lo consiguen.

Figura 5.2. Ad-Aware es una opción gratuita para detectar spyware y adware.

Cracker

Si los hackers construyen cosas, los crackers destruyen. Cuando crean algo es únicamente para conseguir fines personales. Utilizan sus conocimientos para invadir sistemas, descifrar claves y contraseñas de programas, así como algoritmos de encriptación.

Poder acceder a sistemas ajenos es una habilidad cotizada. Muchos hackers aprovecharon sus conocimientos y aptitudes para acceder a sitios Web de entidades bancarias u organismos públicos, cometiendo importantes robos y delitos. Luego intentan ganar dinero vendiendo la información robada.

Es por ello que debemos ser muy vigilantes con la información que tenemos en nuestros dispositivos digitales.

INTERNET Y LA LEY

Internet como canal de comunicación no puede mantenerse ajeno a las normas y a la jurisprudencia, aunque es cierto que su propia naturaleza hace que las reglas sean fácilmente vulnerables. Internet ha supuesto el nacimiento de millones de empresas en todo el mundo, algunas han durado muy poco y otras se han convertido en imperios. Muchos sitios Web particulares han logrado financiar sus proyectos, gracias a la aceptación de publicidad.

Hay operaciones como la realización de transacciones económicas, el intercambio de datos confidenciales y el compromiso de privacidad que obligan a someter a Internet a ley; legislación que es diferente de acuerdo al país donde se aplique.

Es fácil comprender que legislar es introducir la polémica. Porque legislar es poner límites y ¿dónde están los límites de la censura y la libertad? El debate es constante y abierto.

En España existe una Legislación que regula el uso de Internet y por la cual se debe cumplir con la Ley de Servicios de la Sociedad de la Información (LSSI) y la Ley de Protección de Datos de Carácter Personal (LOPD).

La legalidad en Internet muchas veces es una gran desconocida, pero su incumplimiento puede derivar en responsabilidades civiles, penales y laborales. No se arriesgue, conozca y cumpla la Ley.

Identificación de los delitos informáticos en España

El Código Penal español distingue claramente los siguientes delitos informáticos e impone sanciones para aquellos que lo incumplen:

▶ **Vulneración de la intimidad**: Internet es un peligro para la intimidad de las personas, porque no existen mecanismos claros para controlar el uso de los datos personales de los ciudadanos en la red. ¿Puede una empresa vigilar el correo electrónico de sus trabajadores? ¿Pueden ponerse a circular sus datos personales sin control por la red? ¿Es posible mantener el anonimato? La respuesta a estas preguntas en todos los casos es NO. La revelación de datos privados y su uso indebido de los mismos está penalizada por la ley.

▶ **Delitos contra la propiedad intelectual o industrial**: la ley prevé penas para quien; con ánimo de lucro y en perjuicio de tercero; reproduzca, plagie, distribuya o comunique públicamente, en todo o en parte, una obra literaria, artística o científica también transformación, interpretación o ejecución artística fijada en cualquier tipo de soporte. En Internet estos delitos son los más comunes. Los usuarios se han acostumbrado a piratear los programas en Internet que es lo mismo que usarlos sin comprarlos. Los vídeos, los libros y hasta las películas circulan con impunidad en la red. Esto es un delito.

- ▶ **Sabotaje de datos**: entrar en ordenadores sin autorización, extraer claves o robar datos, son también actos constitutivos de delito. Una vez conseguido el acceso, los intrusos pueden hacer casi todo lo que quieran. Acciones penales contra esto están contempladas en la ley.

- ▶ **Pornografía infantil**: uno de los puntos negros y más tristes de Internet es la pornografía infantil y su uso por los pederastas. Desgraciadamente en la Web podemos tropezar con este tipo de material. Una cosa es tener un problema psicológico y otra estimularlo bajo la máscara de la Web. Hay que defender a nuestros menores denunciando estas prácticas. La pornografía infantil está condenada por la ley.

- ▶ **Injurias y calumnias:** la libertad y el anonimato en Internet, favorecen prácticas como las calumnias y los mensajes injuriosos. Imputar un hecho realizado conociendo su falsedad, es una calumnia. Lesionar la dignidad de otros, menoscabando su imagen, es una injuria. Solamente son constitutivas de delito las injurias que, por su naturaleza, efectos y circunstancias, se consideren graves. Las injurias

que consistan en la imputación de hechos no se considerarán graves, salvo cuando se hayan llevado a cabo despreciando a la verdad.

PROTEGER EL ORDENADOR

Mientras aumenta el número de quienes se dedican a querer vulnerar el acceso a su ordenador, surgen más profesionales para garantizar la seguridad, hasta el punto que a veces uno se pregunta, ¿no serán los mismos?

Este ejército de defensores de la seguridad son quienes crean los antivirus y los cortafuegos (*firewall*), pero desgraciadamente no pueden acabar con todos los riesgos. Actualmente casi todos los antivirus se distribuyen en forma de paquetes que incluyen antivirus, *firewall* y programas *antispyware*. Estos paquetes tienen por supuesto un precio, aunque también hay algunos en el mercado que son gratuitos y que nos pueden ayudar mucho.

Antivirus

Imprescindible es que un ordenador tenga un antivirus eficiente. Los programas antivirus más famosos como Norton y McAfee, pueden conseguirse en cualquier tienda informática, pero también pueden descargarse potentes programas antivirus en la Web.

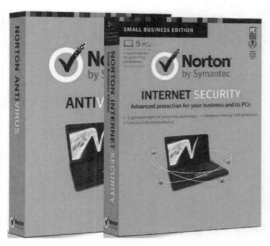

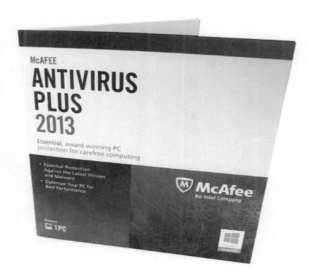

Figura 5.3. Norton y McAfee.

La función de los antivirus no solo es detectar posibles archivos infectados, sino que deben poder eliminarlos o bloquearlos para evitar las infecciones. Los antivirus poseen una base de datos con información sobre cada virus conocido y la solución que existe para desactivarlo. Para que funcionen efectivamente necesitan constantes actualizaciones.

Existen versiones gratuitas de programas con las soluciones esenciales de seguridad. AVG es uno de estos programas y puede descargárselo de la Web http://free.avg.com/ww-es/download-file-dm-triisc.tpl-mcr8.

Tenga paciencia porque son bastantes Megas. Necesitará una conexión de banda ancha bastante grande para descargarlo, aunque el proceso de instalación es igual al de cualquier otro programa. Una vez instalada la aplicación proceda a realizar el examen del sistema (véase la figura 5.4).

Cómo evitar sitios Web peligrosos

Muchos principiantes, después de visitar un sitio, quedan preocupados porque la visita a algunos sitios inadecuados o pornográficos queda registrada en su ordenador.

Figura 5.4. La página para descargar AVG.

No sucede con frecuencia, pero para evitar vergüenzas, existe la función Opciones de Internet, en el menú de Herramientas, de Internet Explorer. Allí puede limpiar todo el historial de su ordenador y también muchas otras huellas.

Además puede fijar niveles de seguridad en su navegador para evitar que se abran páginas Web con contenidos violentos, sexuales, uso de drogas y otros temas de adultos; o simplemente contenidos que puedan constituir un riesgo para su equipo.

Analice los cuadros de seguridad y adapte las posibilidades a sus propios gustos y posibilidades.

Control parental

Es probable que comparta su ordenador con hijos, nietos, y necesite fijar diversos parámetros de control, para establecer qué clase de material ellos pueden ver en la Web, así como las horas en que pueden acceder a Internet. Nuestra recomendación es crearles su propia Cuenta de Usuario; a través del

Panel de control, una vez allí elija la opción Cuentas de Usuarios. Asegúrese también que su propia cuenta o cualquier otra están protegidas, antes de que usen Internet los niños y adolecentes de la casa (figura 5.5).

Los niveles de seguridad permiten delimitar el contenido a que se tiene acceso. Más allá del nivel de restricción que usted elija, siempre puede permitirse aceptar o bloquear determinados sitios Web, para añadirlos a la lista de Permitir y Bloqueo. También puede hacer lo mismo con los programas instalados en su ordenador.

Figura 5.5. Creación de una cuenta de usuario.

Cortafuegos

Los cortafuegos están diseñados para impedir accesos no autorizados a las redes privadas. Puede ser activado con un *hardware,* un *software* o una combinación de ambos. Los cortafuegos se usan para impedir que gente ajena y no autorizada acceda a nuestras redes, especialmente a través de Intranet. Todos los mensajes entrantes o salientes de Internet pasan a través del cortafuego, que analiza cada mensaje y bloquea aquellos que no cumplen los criterios de seguridad establecidos. El sistema operativo Windows viene con su propio cortafuego, pero se puede incrementar la protección usando otros productos. Además de parar a los hackers, puede encontrar programas anti-spam para evitar el correo no deseado. Las capacidades del cortafuego de Windows continuamente se están actualizando, así que si lo utiliza mantenga su sistema al día.

SISTEMAS DE RESPALDO ONLINE. COPIAS DE SEGURIDAD

Si hablamos de seguridad hay que hablar siempre de Copias. Si tiene la impresión que sus archivos están perfectamente seguros, almacenados en el disco duro de su ordenador, esto no es así. Nadie está exento de la posibilidad de perder todos sus contenidos. ¿Quién puede contra un fuego o una inundación? Esto se puede evitar almacenando sus archivos de forma *online,* a través que una compañía que se dedique a esto.

Hace unos años, la información de nuestros archivos se guardaba en discos duros físicos. Esto obligaba a comprar estos dispositivos cuyos precios eran algo elevados para altos niveles de información. La parte negativa era que si crecía mucho la información a guardar, teníamos que comprar otro disco duro con mayor capacidad y volver a copiar la información.

En los últimos años, han aparecido en el mercado soluciones en la nube, denominadas "*Cloud Computing*". El *Cloud Computing* o Computación en la Nube es un modelo de servicios, donde el usuario almacena datos y gestiona aplicaciones ofimáticas de manera remota, en servidores Web. La compañía responsable de los servidores, será la encargada del mantenimiento de los mismos y de preservar las bases de datos; lo que repercute en una reducción directa de los costes de almacenamiento y gestión de la información de las empresas que utilizan este servicio.

Ahora es posible guardar toda nuestra información (fotos, vídeos, documentos, archivos, programas, etc) en un servidor Web externo y pagar por el volumen de información guardado. Adicionalmente podemos acceder de forma rápida y cómoda para ver y descargar dicha información. Los servicios más populares para guardar información masiva en la nube son:

- ▶ Dropbox: `www.dropbox.com`

- ▶ Google Drive: `www.google.com/intl/es/drive/start/index.html`

- ▶ SkyDrive: `http://skydrive.live.com/`

Estas herramientas de almacenamiento en la nube nos permiten sincronizar la información de nuestro disco duro, a través de un disco duro virtual para que, de esta manera, tengamos una copia de seguridad. Nos permiten disponer de un disco duro o carpeta virtual de forma remota y accesible desde

cualquier ordenador en el mundo. Es lo mismo que tener un Pen drive USB, pero alojado en Internet, de tal forma que nos permite tener toda la información que deseemos en la red y con ello siempre disponible desde cualquier PC, en cualquier parte del mundo.

Estas herramientas poseen planes gratuitos que nos permiten guardar hasta 2-10 GB aproximadamente, de forma gratuita. Luego están los planes de pago que nos permiten por una cuota mensual tener alojados nuevos archivos en la nube. Los costes serán más altos a medida que el peso total de los archivos también aumente. Por ejemplo Dropbox para un plan de 100 GB, cobra una cuota de 19,99 US$ al mes (véase la figura 5.6).

Figura 5.6. Vista de Dropbox con la gestión de carpetas de archivos.

Usuario y contraseña

Puede suceder, que a medida que se registra en diferentes sitios Web, acumule un gran numero de nombres de usuario y contraseñas.

> **Sugerencia:** Mantenga un listado de estos detalles, ocultos en algún sitio alejado de su ordenador.

Tendrá la tentación, por la falta de experiencia, de utilizar el mismo nombre y contraseña en cada sitio diferente. Hay dos razones que aconsejan evitar esto. La primera es obvia, si alguien consigue sus datos una vez, podrá usarlos en la mayoría de los sitios en que esté registrado, dejando todos sus detalles de compras e información privada disponibles al intruso. La segunda es que cada sitio tiene su regla específica de configuración de clave, es decir, que lo que es válido para unos, puede que no lo sea para otros. Algunos exigen números y también palabras; algunos al menos ocho letras y otros no le permitirán usar nombres corrientes, porque han sido previamente registrados por otros usuarios. No podría darle una idea del número de nombres y contraseñas que necesitará, pero sí sugiero que para entrar en su ordenador y en su programa de correo, tenga contraseñas diferentes. Esto no significa que esté obligado a tener detalles y datos completamente diferentes para cada sitio que exija una inscripción, porque incluso si utiliza tres o cuatro nombres y contraseñas, puede ser difícil recordar cuál es para cada caso. El secreto es organizarse. Hágase una lista y guárdela en sitio seguro, lejos del ordenador. Ese es nuestro consejo.

6. El correo electrónico, e-mail

INTRODUCCIÓN

Internet más que una herramienta de búsqueda informativa, es una herramienta comunicativa y el correo electrónico su talismán. A través del correo electrónico, cualquiera puede enviar, recibir mensajes y todo tipo de documentos digitales, a grandes distancias rápidamente. Su eficacia, comodidad y bajo coste lo han convertido en el medio de comunicación más usado de nuestro tiempo, desplazando al correo postal.

Una ventaja del e-mail es que no es necesario estar presente en el ordenador en el momento en que se recibe el mensaje, incluso el ordenador puede estar apagado. Los mensajes quedan en el servidor de correo hasta que los solicita el destinatario. Los propios programas de correo sirven para buscar, organizar, y conservar la información. Puede añadir filtros para combatir el spam o responder automáticamente al email durante sus vacaciones. Estudiaremos sus principales posibilidades en este capítulo.

UN POCO DE HISTORIA

En 1971, el ingeniero electrónico Ray Tomlinson, inventó el correo electrónico. Un e-mail viajó de un ordenador a otro convirtiéndose en el primer correo de la historia. El primero de los problemas que Tomlinson se encontró fue la necesidad de identificar al destinatario del correo. Lo resolvió con el símbolo arroba (@), que no por gusto, es protagonista de la cubierta de este libro. Era uno de los pocos símbolos disponibles entonces y se convirtió en emblema de toda una época, la época de los e-mails e Internet. La notación con formato "nombre@dominio", está hoy en día totalmente estandarizada en todo el mundo.

No fue hasta principios de los 80, que Vincent Cerf, Premio Príncipe de Asturias en 2002, comenzó a estimular el uso comercial del e-mail, ampliando hasta lo insospechado los cauces de la comunicación y consolidando una revolución, que había comenzado hace 30 años y que dura hasta hoy. Actualmente, existe una tendencia a usar la mensajería de las redes sociales. Herramientas como Twitter y Facebook son un "todo en uno" irresistibles, que establecen nuevas formas de relacionarse en una historia donde ha aparecido un nuevo protagonista, el teléfono móvil. En muy poco tiempo serán muchas más las personas que utilicen Internet desde el teléfono, que desde un ordenador. De cualquier forma el uso del correo electrónico en las empresas sigue teniendo buena salud y continuará así, por lo menos de momento.

CÓMO FUNCIONA EL CORREO

El funcionamiento del correo electrónico se basa en procedimientos más complejos que los de la Web. Para la mayoría de los usuarios, no es necesario entender los entresijos de estos procedimientos y por supuesto, no hace falta conocerlos para poder utilizar el e-mail. De cualquier forma vamos a detenernos en los principios básicos, la configuración de las cuentas y los mecanismos que subyacen bajo el intercambio de mensajes.

La dirección de correo

Una dirección de correo electrónico es única y está siempre asociada a un servidor de correo electrónico, que gestiona todas las direcciones de e-mail para ese dominio. El servidor de correo electrónico garantiza la exclusividad de los nombres de usuario dentro del dominio. Esto permite que cualquier servidor, encuentre la dirección IP del otro servidor de correo electrónico, se conecte con él y pueda transmitirle un e-mail.

Cada dirección de correo está compuesta por las siguientes partes:

▶ **Nombre de usuario:** es el nombre identificador del usuario y se escribe siempre delante del símbolo @. Ejemplo, `nombredeusuario@servidor.com`.

▶ **Arroba (@):** es el símbolo universal del correo electrónico y separa el nombre de usuario y el dominio del servidor.

▶ **Dominio del servidor:** se refiere al dominio del servidor de correo y lo componen el nombre identificativo del servidor, y la extensión del localizador del tipo de actividad: `.com`, `.org`, `.net`, o localizador geográfico: `.es`, `.ru`, `.mx`.

Intercambio de mensajes

Cuando se envía un correo electrónico, el mensaje viaja del servidor emisor al servidor receptor. Para ser más exactos, el mensaje va del MTA (Agente de Transporte de Correo) del emisor hacia el MTA del destinatario. Los MTA se comunican entre sí usando el protocolo SMTP. A continuación el MTA del destinatario entrega el correo electrónico al servidor del correo entrante llamado MDA (Agente de Entrega de Correo), el cual almacena el correo hasta que el usuario lo demande. Existen dos protocolos para conseguir un correo electrónico de un MDA:

► **POP3 (Protocolo de Oficina de Correo):** se usa para recuperar el correo electrónico y, en algunos casos, dejar una copia en el servidor.

► **IMAP (Protocolo de Acceso a Mensajes de Internet):** se usa para coordinar el estado de los correos electrónicos: leído, eliminado y movido. IMAP guarda una copia de cada mensaje en el servidor, completando así la tarea de sincronización.

Los servidores de correo entrante se llaman **servidores POP** o **servidores IMAP**, según el protocolo usado.

> **Nota:** Los mensajes de correo electrónico no viajan directamente desde el ordenador emisor al destinatario, sino que pasan por el servidor de cada uno de ellos, alojándose en el buzón del receptor, hasta que el usuario los solicite.

Cuando un mensaje no llega a su destino por cualquier razón entonces recibimos el conocido mensaje de *Mail System Error-Returned Mail*, indicándole que su mensaje ha sido rechazado y que, por tanto, no ha llegado a su destino.

Tipos de correo

Hay dos tipos de correo electrónico:

► **Correo Web**: el correo al que se accede por un portal, siempre a través de la Web, como es el caso de Gmail, Yahoo! o Hotmail. El usuario debe registrarse y configurar su cuenta: nombre de usuarios y claves fundamentalmente.

► **Correo POP**: es el que ofrecen los proveedores con quienes tenemos contratado el servicio de Internet.

La diferencia principal entre estos dos tipos de correo es la siguiente: mientras el Correo Web se organiza mediante una página Web, el POP lo gestiona a través de un programa instalado en el ordenador. En el Correo Web basta con abrir la página en el navegador para consultar el correo, en el POP se descarga mediante programas. Si eres un usuario que viaja con frecuencia es mejor que uses el Correo Web, porque es más cómodo tener acceso desde cualquier ordenador simplemente escribiendo la clave y la cuenta. Sin embargo, si no tienes ADSL es mejor usar la cuenta POP, porque nada más te conectes puedes enviar y recibir el correo sin necesidad de abrir el navegador.

El correo Web

Este sistema de correo electrónico también conocido como *Webmail*, permite acceder a los correos electrónicos y enviar mensajes en cualquier parte del mundo donde usted se encuentre. Hay varios en el mercado pero los más conocidos son Gmail, Hotmail y Yahoo!. Todos ellos poseen una interfaz para acceder a las cuentas de correo electrónico, previamente creadas en ese propio sitio Web. Cuentan con un menú principal en la parte de superior y con diferentes opciones, como puede ver en la interfaz de Hotmail que muestra la figura 6.1.

Los *Webmail* permiten controlar, través del navegador, los mensajes depositados en un servidor remoto. ¿Qué usuario de Internet no posee una cuenta de correo Web gratuita?

La tabla 6.1 ofrece los rasgos más importantes de los proveedores de correo Web, más importantes del mercado.

Figura 6.1. La interfaz de Hotmail.

Tabla 6.1. Comparativa entre proveedores de correo Web.

PROVEEDOR	ALMACENAMIENTO MÁXIMO	NAVEGADORES COMPATIBLES	LÍMITE DE TAMAÑO EN ARCHIVOS ADJUNTOS
Gmail	10GB	Todos	25MB
Yahoo!	Ilimitado	Explorer, Firefox, Chrome, Opera	25MB
Windows Live Hotmail	5GB	Explorer, Firefox, Chrome	25MB

Es evidente que cada *Webmail* tiene sus ventajas. El más compatible con todos los navegadores es Gmail, que ofrece además servicios tan útiles como un buen gestor de fotos y calendario. Si lo que necesita es capacidad de almacenamiento el más potente es Yahoo! Una cuenta en correo Web tiene la ventaja del acceso inmediato, desde cualquier ordenador, donde quiera que se encuentre mientras tenga una conexión a Internet. Basta con abrir el navegador y acceder a la página del sitio, escribiendo la URL en el cuadro de direcciones; luego introduzca su nombre de usuario, su contraseña y toda su mensajería se mostrará en el monitor.

Crear una cuenta de correo en Gmail

Para crear una cuenta en cualquier *Webmail* hay que registrarse. Deberá rellenar un formulario donde hay dos campos claves: el nombre de usuario y la contraseña. Luego tendrá que confirmar el alta para activar la cuenta.

> **Sugerencia:** Cuando cree una cuenta en un correo Web, configúrela lo mejor posible desde el principio. Todos los datos admiten edición, excepto el nombre del usuario, por lo que debe pensárselo bien antes de hacerlo oficial.

Los pasos para crearse una cuenta en Gmail son los siguientes:

1. Acceda a su navegador y en la barra de direcciones teclee `http://www.gmail.com`.

   Se activará la pantalla que aparece en la figura 6.2.

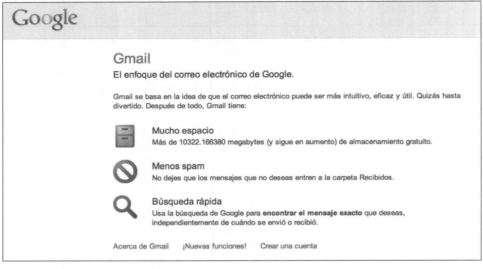

Figura 6.2. La interfaz de Gmail.

2. Haga clic en el botón con fondo rojo **Crear una cuenta,** que aparece en la parte superior derecha de la pantalla.

3. Se activa la pantalla Crea tu cuenta de Google, que muestra la figura 6.3.

4. Introduzca los datos solicitados comenzando por los campos Nombre y Apellidos.

5. Defina el nombre de su futura cuenta de correo en el campo Nombre de usuario: como no pueden existir dos direcciones iguales dentro de un mismo dominio, si el nombre que introduce ya está siendo utilizado por otro usuario, le aparecerá debajo el mensaje en rojo: Ya existe ese nombre de usuario. ¿Quieres volver a intentarlo? Observe además las sugerencias de posibles nombres de usuarios disponibles como muestra la figura 6.4.

Figura 6.3. Crea tu cuenta de Google.

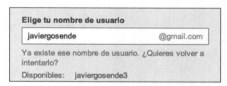

Figura 6.4. Ya existe ese nombre de usuario. ¿Quieres volver a intentarlo?

6. Una vez definido el Nombre de usuario, introduzca el resto de la información solicitada: Contraseña, Confirmación de la Contraseña, Fecha de nacimiento, Sexo y Teléfono.

7. Ahora demuéstrele a Gmail que usted no es un robot tecleando las frases que le sugiere.

8. Active la casilla Acepto, para aceptar las condiciones del servicio y la política de privacidad de Google.

9. Haga clic en el botón con fondo azul **Siguiente Paso,** para seguir creando la cuenta.

10. Se activa una pantalla donde podrá introducir una foto del perfil. Haga clic de nuevo en el botón con fondo azul, **Siguiente Paso.**

11. Se activa la pantalla Te damos la bienvenida, donde puede hacer clic en el botón **Ir a Gmail y** comenzar a trabajar con su cuenta.

> **Advertencia:** Algunos servidores de correo, tienen un tiempo establecido para mantener la cuenta operativa. Si no accede a su cuenta, lo más posible es que desaparezca.

Una vez abierta una cuenta, es la hora de aprender a utilizarla considerando sus posibilidades reales, en relación al tamaño de los ficheros y el espacio disponible en el servidor. Tanto el límite de tamaño de los archivos adjuntos, como la capacidad máxima de almacenamiento en el servidor los puede consultar en la tabla 5.1. Las funciones son generalmente las mismas en cada *Webmail* y bastante sencillas de aprender. Puede organizar sus mensajes en diferentes carpetas según sus necesidades. Las principales vienen definidas por omisión: `Recibidos`, `Importante`, `Enviados`, `Borradores` y `Spam`, aunque puede crear nuevas carpetas de acuerdo a su comodidad y conveniencia. En Gmail las carpetas aparecen en la columna de la izquierda (figura 6.5).

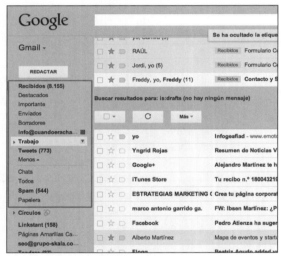

Figura 6.5. Las carpetas donde se guardan y organizan los mensajes.

Puede mover los mensajes entre carpetas utilizando el botón **Mover a** de la barra de herramientas superior, que aparece cuando pincha sobre algún mensaje (véase la figura 6.6)

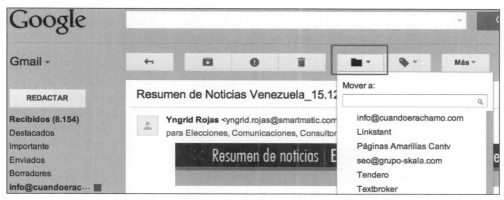

Figura 6.6. La barra de herramientas con el botón Mover a.

El menú desplegable Gmail de la parte superior de la columna de la izquierda da acceso a tres comandos: Gmail que despliega todos los mensajes, Contactos que activa la libreta de direcciones y Tareas que activa una lista de tareas que usted mismo puede generar (véase la figura 6.7).

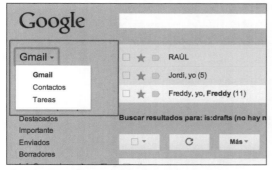

Figura 6.7. El menú desplegable Gmail.

La libreta de contactos es muy flexible y permite buscar rápidamente a cualquier contacto de la lista (véase la figura 6.8).

La acción más rutinaria de su trabajo con Gmail será revisar la lista de mensajes entrantes. Para ello solo tiene que hacer clic en la carpeta Recibidos y luego sobre el mensaje para visualizarlo véase la figura 6.9).

Para enviar un mensaje nuevo utilice el botón con fondo rojo **Redactar**. Está encima de todas las carpetas. Se activa una ventana de envío donde debes completar los siguientes campos (véase la figura 6.10).

En el campo Para: introduzca la dirección del destinatario del mensaje.

Figura 6.8. La libreta de direcciones.

Figura 6.9. Mensaje recibido.

Figura 6.10. Redactar nuevo mensaje.

No tendrá que teclearla completamente, pues las direcciones introducidas con anterioridad en su libreta de direcciones se ofrecen automáticamente, en un listado para seleccionar, siguiendo la fórmula de autocompletar (véase la figura 6.11).

Figura 6.11. Listado de fórmulas para seleccionar.

Si va a enviar el mensaje a más de un destinatario, separe las direcciones a través de comas o introdúzcalas en el campo Añadir CC:

> **Sugerencia:** Escriba siempre algo en el campo Asunto que tenga sentido, será luego muy útil en la búsqueda de sus mensajes.

En la zona de contenidos introduzca el contenido de su mensaje. Otras funciones muy utilizadas en el cuadro de envío son el Corrector ortográfico y Adjuntar archivos. Haga clic en el botón **Enviar,** para mandar su mensaje.

El botón **Añadir CCO:** permite activar el campo CCO, que sirve para enviar copias ocultas del mensaje si lo necesita. Como su nombre lo indica son ocultas; el resto de los destinatarios no sabrán que han sido enviado.

Para eliminar mensajes puede suprimir toda una conversación o solo un mensaje de la conversación. Para eliminar toda la conversación seleccione la casilla de verificación, que se encuentra delante de él y haga clic en el botón **Eliminar.** Para eliminar un mensaje individual abra la conversación y localice el mensaje. Luego haga clic en la flecha hacia abajo justo al lado del botón **Responder**, en la parte superior derecha del panel de

mensajes, para que se despliegue el menú contextual. Seleccione la opción Eliminar este mensaje.

> **Sugerencia:** estas acciones envían los mensajes a la carpeta Papelera, pero no eliminan los mensajes definitivamente. Si no ve a la carpeta Papelera, en el lateral izquierdo de la página, haga clic en el menú desplegable Más, situado al final de la lista de etiquetas.
>
> Los elementos eliminados permanecerán en la Papelera aproximadamente 30 días, después ésta se vacía automáticamente.
>
> Si quieres suprimir un elemento de forma definitiva, los pasos son los siguientes:
>
> 1. Haz clic en la carpeta **Papelera**.
>
> 2. Marca la casilla que se encuentra delante del mensaje que quieres eliminar permanentemente.
>
> 3. Haz clic en el botón **Suprimir definitivamente**.

Por el mismo sistema puede borrar varios mensajes. Para declarar un mensaje como Spam, siga el mismo procedimiento: marque la casilla y haga clic en botón **Marcar como Spam,** de la barra de herramientas. Cuando un mensaje se marca como Spam, el mensaje va a la carpeta Spam y al cabo de un tiempo se elimina automáticamente. Puede además bloquear la dirección de un remitente y no volver a recibir mensajes provenientes de dicha dirección. Para responder un mensaje ábralo. En el extremo superior derecho haga clic en el botón **Responder** que tiene un Menú desplegable. Se activa una ventana de envío; modifique el asunto del campo Asunto si procede, e introduzca el contenido en el cuerpo del mensaje. Luego haga clic en el botón **Enviar**. En el menú desplegable puede elegir

Responder a todos. Esta acción devuelve el mensaje al destinatario que se lo envió y además, a todas las direcciones que éste haya incluido en el mensaje enviado, es decir, a todos los destinatarios que estén en el campo CC:

El botón **Reenviar** del propio Menú desplegable, abre una nueva ventana de envío con el contenido del mensaje recibido. Solo tiene que llenar el campo Para, con la dirección de a quién le va a reenviar el mensaje (véase la figura 6.13).

Figura 6.12. Responder.

Figura 6.13. Reenviar.

Observe otras posibilidades de ese Menú desplegable y considérelas. Son muy lógicas y fáciles de aplicar.

La bandeja Borradores, guarda los borradores de los mensajes redactados que no han sido enviados. Ésto le permite volver a retocar los mensajes antes de enviarlos.

Novedades de Gmail

Gmail es un programa en constante evolución. Ahora tienes más de 100 herramientas nuevas para escribir en Gmail. Con estas herramientas puedes redactar en tu idioma y teclado de siempre, así le será más fácil mantenerse en contacto con sus amigos y familiares. Además Gmail se ha enriquecido con Google+, ahora puedes hacer videochats, compartir fotos, vídeos y responder a publicaciones al instante desde Gmail.

Correo POP

Son muchos los que no saben que es POP3, el programa que permite ver el correo a través de los servidores. Para recibir este correo hay que especificar el servidor en el que se encuentra su buzón.

Estas cuentas suelen conseguirse de forma gratuita, aunque si abona una cuota mensual puede obtener mayor cantidad de almacenamiento. Aunque POP3 es de este tipo de programas de correo el más utilizado, también existen otros como IMAP, que se configura de la misma manera.

Outlook Express

Outlook Express es, posiblemente, el programa de correo más utilizado del mundo y esto es porque, viene incluido en todas las versiones de Microsoft Office. En realidad Outlook Express es un gran programa para administrar mensajes electrónicos. No son necesarias grandes habilidades para manejar las funciones básicas del programa. Outlook Express permite enviar mensajes de gran riqueza visual con código HTML, en los cuales puede incluir imágenes, estilos y fuentes.

Además amplía sus posibilidades de administrar más de un buzón de correo a la vez y brinda otras funcionalidades como el calendario, el programador de tareas y el gestor de contactos. Su principal inconveniente es que hay que pagar por él.

El programa posee varias funciones, pero las principales son: leer, organizar y enviar correo electrónico. Puede dividir la ventana principal de Outlook en dos o tres partes, según le guste, gracias a la opción Panel de lectura de la barra de herramientas. Cuando la pantalla está dividida en tres, en la parte izquierda tendrá el panel de exploración con todas las carpetas y ficheros. Si pincha en alguna de ellas, en la parte central de la pantalla se mostrará su lista de mensajes y en la zona de la derecha, la vista previa del mensaje. La lista de mensajes de la zona central está dividida en columnas, que puede ocultar y también cambiarle el orden.

> **Truco:** Si hace clic en cualquiera de los títulos de una columna, ésta se ordena en orden ascendente por su contenido. Si repite el clic, el orden se invierte. Para cambiarlas de sitio, arrastre la columna con el cursor al lugar deseado.

Entre las carpetas de Outlook hay algunas que no pueden ser eliminadas; son las siguientes:

▶ **Carpetas personales:** es la carpeta raíz, ella contiene todas las carpetas restantes de la cuenta.

▶ **Bandeja de entrada:** donde se almacenan todos los mensajes de correo de la cuenta POP, cuando se descargan del servidor.

▶ **Bandeja de salida:** permite guardar todos los mensajes aún sin estar conectado a Internet, para que luego Outlook, los envíe automáticamente cuando se conecte. También van a esta carpeta los correos salientes, cuando tienen problemas de cualquier tipo.

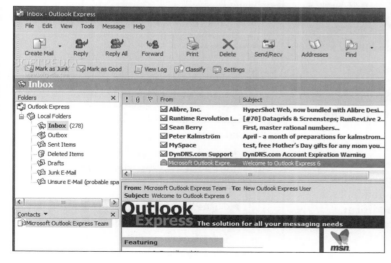

Figura 6.14. La interfaz de Outlook dividida en tres, tiene a la izquierda el panel de exploración con todos los ficheros.

▶ **Borrador:** se usa para guardar mensajes a medias o para crear plantillas, que luego pueden ser utilizadas como base para otros correos.

▶ **Correo electrónico no deseado:** la carpeta a donde van a parar los Spam y las direcciones de correo bloqueadas.

▶ **Elementos eliminados:** la carpeta de los mensajes borrados. Si desea eliminarlos, haga clic con el botón derecho del ratón sobre la carpeta y en el menú desplegable seleccione la opción Vaciar carpeta "Elementos eliminados".

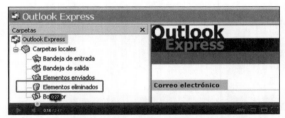

Figura 6.15. El menú desplegable de Elementos eliminados.

▶ **Elementos enviados:** dispuesta por defecto para que se guarden las copias de los mensajes enviados. Esta configuración se puede modificar.

▶ **Fuentes RSS:** aquí se almacenan los datos de las páginas Web y blogs a cuyos contenidos se ha suscrito, para recibir sus actualizaciones en tiempo real.

Redactar y enviar mensajes

Para redactar un mensaje:

1. Ejecute Nuevo>Mensaje. Se activa una ventana de envío como la que muestra figura 6.16.

Figura 6.16. Ventana para redactar un mensaje nuevo.

2. Los elementos que debe completar son los siguientes:

▶ **Para:** este campo consiste en introducir la dirección del destinario correo.

Puede incluir más de un destinatario, separados con coma, punto y coma o introduciendo nuevas líneas a través de la tecla **Intro**. Si hace clic en el botón **Para**, se activa el cuadro Seleccionar nombres. **Contactos** con todas las direcciones que hay en su libreta de direcciones. Este cuadro se muestra en la figura 6.17.

► **CC:** se refiere a la introducción de direcciones, las cuales también enviaremos el mensaje original. Se separan igual, con coma, punto y coma o introduciendo nuevas líneas a través de la tecla **Intro**. Las personas que reciben este correo reciben también una copia de la lista **CC** y de la lista **Para**.

► **Asunto:** es el título del mensaje, el texto que verá el destinatario cuando reciba el correo. Sea claro y busque un texto que relacione el título con el mensaje, además que sea lo más corto posible. Es muy importante para futuras búsquedas de mensajes.

► **Panel del mensaje:** Para redactar el contenido del mensaje.

► **CCO:** se refiere a la introducción de direcciones a las que se quiere enviar el mensaje de forma oculta. Aquellos quienes lo reciben no sabrán a quién más se las ha enviado.

Figura 6.17. Cuadro con la lista de nuestros contactos.

Fuentes RSS

Puede subscribirse a las ya conocidas listas automáticas de contenidos, que ofrecen algunos sitios Web y blogs. Usar Outlook para suscribirse a una fuente RSS es rápido y sencillo, no implica ningún proceso de registro ni coste. Después de suscribirse a una fuente RSS, aparecerán sus titulares en las carpetas RSS. Los elementos RSS tienen un aspecto similar a los mensajes de correo. Si ve alguno que le interese, haga clic en el elemento para leerlo. Para ello, siga los siguientes pasos:

1. Haga clic en carpeta Fuentes RSS con el botón derecho del ratón y en el menú desplegable seleccione la opción Agregar una nueva fuente RSS.

2. Se activa el cuadro Nueva fuente RSS. Introduzca la dirección URL de la fuente y haga clic en botón **Agregar.**

Figura 6.18. Cuadro Nueva fuente RSS.

3. Para confirmar la inclusión de la fuente RSS, haga clic en el botón **Sí** de la ventana de confirmación.

4. Se crea una nueva carpeta dentro de Fuentes RSS, con la fuente añadida.

Outlook.com

Outlook.com es una nueva plataforma de correo electrónico de la empresa Microsoft y que viene a sustituir al famoso Hotmail. Es la evolución de éste. La nueva plataforma, además de permitir gestionar todo el correo electrónico desde la web de una forma más eficiente, también incluye posibilidades de conexión con redes sociales tales como Facebook y Twitter.

Los usuarios con cualquier cuenta Hotmail pueden empezar a utilizar Outlook en cualquier momento, con sus cuentas. De esta forma, solo es necesario iniciar sesión en Outlook.com, con los datos de acceso de sus cuentas de Hotmail.

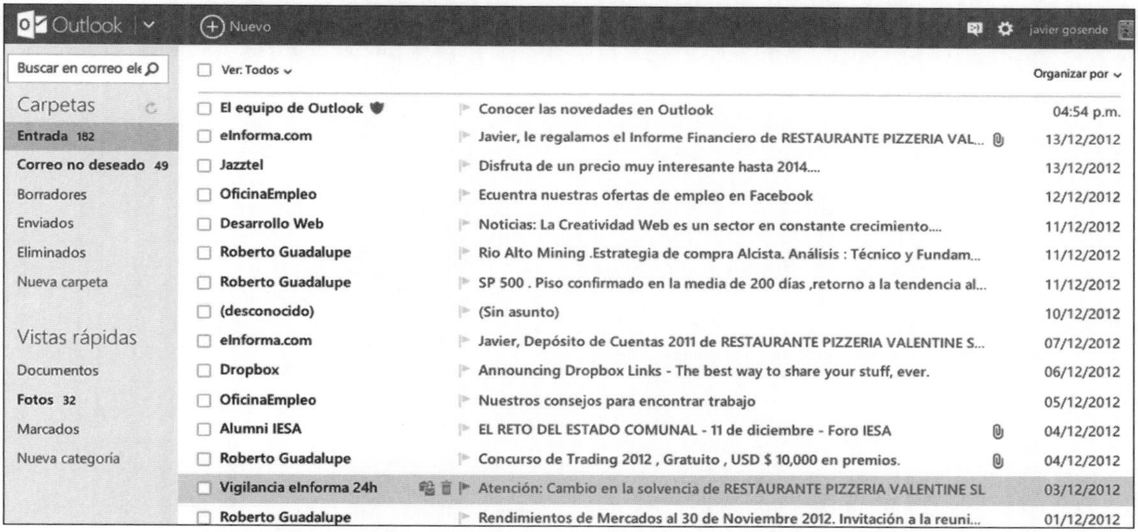

Figura 6.19. Interfaz de Outlook.com.

7. Entretenimiento

INTRODUCCIÓN

Además de ser una fuente inagotable de información y conocimiento Internet proporciona grandes posibilidades de entretenimiento. A la satisfacción inmensa que proporciona encontrar información sobre temas de interés se agrega el acceso a numerosos programas de radio, televisión y prensa, además de los juegos, es posible incluso interactuar con otras personas conectadas a la red. Estos son los temas que tratamos en este capítulo.

ALTAVOCES

Para exprimir al máximo las posibilidades de entretenimiento que proporciona la Web necesita tener un buen sistema de audio, que es lo mismo que tener un sistema de altavoces funcionando perfectamente. A veces algunos novatos se quejan de haber perdido el sonido; casi siempre se debe a que han puesto el audio en Silenciar. Para comprobar el estado de su sistema de sonido:

1. Haga clic en el icono de **Audio** de la barra de tareas, se encuentra en la parte inferior derecha de la pantalla y activa el cuadro de control de audio que muestra la figura 7.1.

Figura 7.1. Controlar el audio.

2. Luego haga clic en el icono que aparece justo debajo de la barra de desplazamiento, es el encargado de reactivar el audio o silenciar los altavoces. Puede arrastrar la barra de desplazamiento para ajustar los niveles de sonido.

Algunos teclados modernos tienen teclas de ajuste de sonido. Están generalmente en la parte superior del teclado e incluyen la tecla **Silenciar**; pueden colocarse alternar las posiciones "On/Off" y además permiten controlar el volumen.

También la mayoría de las aplicaciones de audio y vídeo tienen sus propios controles de volumen, justo debajo de la zona de reproducción. Observe la interfaz de *YouTube* que muestra la figura 7.2. El botón **Silenciar/Activar sonido** además de realizar estas funciones activa la barra de deslizamiento que permite controlar el nivel de sonido. Haga clic en el botón **Reproducir** para empezar a visualizar un vídeo y observe como cambia el icono a dobles líneas verticales que significa que puede activar la función **Pausar**.

Hay botones de **Anotaciones, Configuración** y **Ver más tarde,** y además es posible visualizar el vídeo en el modo pantalla completa, que posiblemente haga más cómoda la visión pero casi siempre a costa de disminuir la calidad.

LA RADIO EN LA WEB

Una vez configurados los controles de sonido, puede empezar a explorar las posibilidades que ofrece la radio en la Web. Hay millares de sitios Web con transmisiones de radio de todo el mundo. El sitio `http://www.espana.fm` que muestra la figura 7.3 conecta con las emisoras más importantes y populares de España (véase la figura 7.3). No tiene que limitarse a las emisiones en tiempo real, ya que muchos programas se mantienen disponibles durante varias semanas. Los controles que usan estos sitios de radio son los tradicionales: el botón **Reproducir** (▶) que activa el audio, el botón **Detener** (⏸) que detiene la emisión y el botó **Silenciar/Restablecer sonido** (🔊). Véase la figura 7.4.

Figura 7.2. La interfaz de YouTube y sus botones de control.

Figura 7.3. Puede escuchar a través de Internet las emisoras de radio más importantes de España.

Figura 7.4. http://www.virginradio.fr.

LA TELEVISIÓN EN LA WEB

De la misma manera que puede captar sus programas de radio favoritos, también puede ver las transmisiones de televisión. Sin embargo, lo más probable es que tenga que instalar en su ordenador algún programa como Adobe Flash Player para poder hacerlo.

No se preocupe por tener que buscarlos en la Web, porque si los necesita, el propio sitio Web de la TV le advertirá de ello y lo dirigirá al sitio Web de donde puede descargarlo (véase la figura 7.5). Hay programas de TV disponibles en todo el mundo, pero muchas veces la emisión está restringida al país de origen debido a los derechos de emisión. Hay muchas estaciones europeas de TV que emiten por Internet y pueden captarse en todo el continente. Si necesita alguna, puede acudir a Google para encontrar el enlace correspondiente.

Figura 7.5. El canal 24 horas de la TV española: http://www.rtve.es/noticias/directo/canal-24h/

PRENSA DIGITAL

Si quiere ahorrarse algún dinero, ¿por qué no leer las noticias online? La mayoría de los sitios Web de periódicos online tienen una función de búsqueda, de manera que puede buscar un artículo de un tema determinado. Ya ni hablar de las redes sociales que ofrecen continuos enlaces a todo tipo de prensa digital y blog especializados. Leer las noticias online también permite la posibilidad de acceder a las noticias de ediciones anteriores, a las noticias de los archivos.

He aquí algunos ejemplos de prensa digital en español:

- ► **El Mundo:** www.elmundo.es
- ► **El País**: www.elpais.com
- ► **El Confidencial:** www.elconfidencial.com
- ► **El Nuevo Herald**: www.elnuevoherald.com
- ► **Clarín:** http://www.clarin.com
- ► **Reforma:** http://www.reforma.com

Puede encontrar el sitio Web de su periódico favorito introduciendo su nombre en un buscador y siguiendo los enlaces resultantes. El sitio http://www.prensaescrita.com/ ofrece un listado con todos los principales periódicos digitales del mundo.

También se puede llegar a los periódicos online a través de los Motores de Búsqueda (figura 7.6).

YOUTUBE

Qué duda cabe que www.youtube.com ha sido unas de los sitios más innovadores y fascinantes de los últimos tiempos con su batería de vídeos cortos para visualizar sobre todo tipo de temas. Vídeos sobre noticias, tutoriales, deporte, cultura e incluso grabaciones personales están allí esperando para cuando usted quiera verlos. Cuántos no se han auxiliado con los vídeos tutoriales colgados en *YouTube* para aprender sobre múltiples temas. Es muy fácil, en el cuadro de búsqueda introduzca el tema que le interesa y añada la palabra "tutorial" o "cómo hacer". Podrá obtener información visual de todo tipo, desde cómo embellecer un geranio hasta cómo preparar unos champiñones rellenos (véase la figura 7.7).

Puede repetir el vídeo todos las veces que quiera. Observé los comentarios de otros usuarios que aparecen bajo el vídeo, que pueden serle también de gran utilidad, aunque a veces estén escritos en otro idioma. Si observa las propuestas de la lista de resultados de la derecha, seguro que encontrará más variantes sobre el mismo tema que tal vez le interesen.

Figura 7.6. Prensa escrita con el enlace a todos los diarios del mundo.

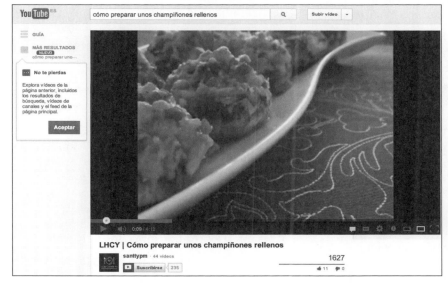

Figura 7.7. Tutorial sobre cómo preparar unos champiñones rellenos.

La mejor forma de usar *YouTube* es registrándose. Suscribirse es gratis y lo único que se exigirá es rellenar el formulario Web. Pasará también por pantalla de Verificación que ya hemos visto en los registros de otros servicios, constituyen una forma preventiva de defenderse contra posibles miembros de la comunidad criminal de Internet en su afán de crear cuentas satélites. A veces es difícil descifrar estas letras y debemos repetir, pero vale la pena. Active la casilla que confirma que está de acuerdo en el uso y la política de privacidad, y después haga clic en el botón **Crear mi Cuenta**, y estará listo para disfrutar de *YouTube* como usuario registrado y además podrá colgar sus propios vídeos y comentar otros (figura 7.8). El límite de peso de los archivos que se pueden subir a *YouTube* es

de 20 GB. En caso de que utilice una versión antigua de navegador Web, el límite podría ser de 2 GB. También existe un límite en cuanto a la duración máxima del vídeo que no debe sobrepasar los 15 minutos inicialmente. Si desea sobrepasar ese límite deberá confirmar su cuenta de usuario dando un número de teléfono.

CINE

La Web es también una gran fuente de información en todo lo relacionado con el cine, desde críticas sobre las últimas películas hasta primicias sobre próximos estrenos. Internet lleva ya tiempo sirviendo a los cinéfilos de forma inmediata y muy completa.

Figura 7.8. Usuario registrado en Youtube.

Hay muchos sitios donde buscar entre los que le proponemos, por ejemplo http://www.filmaffinity.com/es, donde podrá encontrar información sobre estrenos, salas, elencos y críticas; incluso si se registra podrá dejar sus opiniones y encontrar almas gemelas en el mundo siempre fascinante del séptimo arte (figura 7.9)

WINDOWS MEDIA PLAYER

Windows Media Player fue creado en el año 1991, aunque se ha sometido a continuas actualizaciones. Descargarse el programa es gratis.

Figura 7.9. Para saber las últimas actualidades de cine http://www.filmaffinity.com.

La última versión, la 12 para *Windows* 8 puede descargarla del sitio oficial de *Microsoft*: `http://windows.microsoft.com/es-ES/windows/download-windows-media-player`. En el capítulo 8 encontrará más información al respecto (la figura 7.10).

WMP permite reproducir películas, música, vídeos caseros, diapositivas e incluso programas de TV grabados. Los formatos digitales que admite son: Audio CD, DVD-Vídeo, DVD-Audio, WMA (Windows Media Audio), WMV (Windows Media Vídeo), MP3, MPG y AVI.

Las posibilidades de este programa son muy variadas. Permite acceder a vídeos en formato digital en servidores de pago, copiar canciones de un CD al disco duro de su ordenador y viceversa, buscar en Internet los nombres de las canciones y álbumes y mostrar la carátula del disco original. Pruebe *Windows Media Player* 12 y explore sus funcionalidades.

> **Sugerencia:** Una de las mayores ventajas de *Media Player* es que permite copiar música de CD al ordenador y por tanto no necesita andar buscando ese CD que tanto le gusta cada vez que desea escucharlo.

Figura 7.10. Descarga de Windows Media Player 12.

APPLE QUICKTIME

Apple QuickTime es muy similar a *Windows Media Player* y realiza, en general sus mismas funciones. Lanzado en 1991 se encuentra en la versión 7.7. Aunque algunos clientes de PC prefieren usar QuickTime en *Windows* antes que *Windows Media Player* lo cierto es que cada día los dos programas son más compatibles; esto significa que los ficheros multimedia corren normalmente tanto en uno como en otro. Puede descargarlo del sitio oficial de *Apple* http://www.apple.com/es/quicktime/download/, donde encontrará una versión gratis y otras de pago mejoradas, que cuestan entre 20 y 30 €.

Figura 7.11. Descarga Apple QuickTime.

También puede buscar en Google "descargar QuickTime" y luego hacer clic directamente en la dirección correspondiente.

JUEGOS

Es uno de los recursos que más se buscan en Internet. Si le gusta jugar dese una vuelta por alguno de estos magníficos sitios y diviértase un rato.

- ► JuegosWapos (http://www.juegoswapos.es).
- ► Juegos10 (http://www.juegos10.com).
- ► All Game Guide (http://www.allgame.com).
- ► Juegosjuegos (http://www.juegosjuegos.com).
- ► ArcadeTown.com (http://www.arcadetown.com).
- ► Rinconjuegos (http://www.rinconjuegos.com)
- ► GameZone's KidZone! (http://www.gzkidzone.com).

EBOOKS

Si es un apasionado lector sepa que puede descargarse miles de libros impresos o en formato audio. Por muchos de ellos tendrá que pagar, otros es posible que le salgan gratis. Los libros electrónicos o digitales también se conocen como *eBooks*.

Conviene señalar que la compra de este tipo de libros en España todavía no alcanza el 5% del total de ventas, lo que indica que el libro impreso sigue aguantando el tirón y goza de buena salud, aunque también está expuesto a la crisis. De momento esta autora prefiere el olor de los libros tradicionalmente encuadernados, aunque es consciente de que los editores ponen cada vez más empeño en llegar a todos a través de Internet. Muchas librerías *online* como Amazon.com ofrecen cientos de libros electrónicos en sus catálogos.

Hay varias librerías digitales que compiten por dominar el mercado de los *eBooks* porque suponen que aumentará considerablemente. Los líderes estadounidenses *Amazon* y *Barnes & Noble*, han encontrado un importante competidor en la empresa canadiense *Kobo* que se ha asociado con importantes distribuidores de todo el mundo (figura 7.13).

Figura 7.12. http://www.amazon.es.

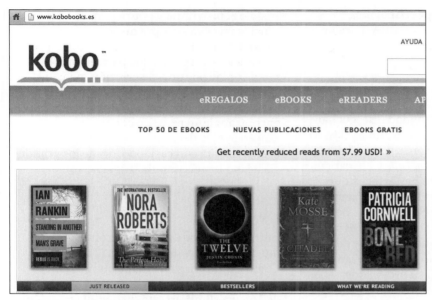

Figura 7.13. http://www.kobobooks.es/

Pronto los lectores podrán conectarse y encontrar los mismos títulos independientemente del país en que se encuentren. Estos libros ya pueden descargarse en organizadores personales, tabletas y *smartphones*. Las *apps* de lectura también se están fortaleciendo y ofrecen diferentes servicios como lectura en varios idiomas, colecciones y sincronización entre dispositivos. Existen también distintos formatos de *eBooks* cada uno con sus propias características. Los más modernos soportan imágenes, sonido y vídeos, e incluso pueden llegar a ser interactivos. Existen dos grandes grupos de *e-Books*:

▶ **De propósito general:** ficheros con extensión PDF, FB2 y Mobi, que cubren una amplia gama de libros. El formato AZW, el *Kindle* de Amazon está basado en el Mobi de *MobiPocket* y ligado a todas las aplicaciones para ordenador y móvil creadas por la conocida librería digital.

▶ **De propósito específico:** más especializados como el CBA, para la lectura de cómics.

MÚSICA

Internet ha dado la oportunidad de escuchar música de todo tipo de forma gratuita. Hay acceso a millones de canciones y si no, basta con ir al ya mencionado *YouTube* y buscar sus temas preferidos; también hay artistas que regalan su trabajo en la red. En España casi todos acudimos a *Spotify*. Sale gratis si no escucha más de 10 horas al mes. También por un pago mensual de 5€ puede librarse de la no deseada publicidad. No olvide que también puede escuchar un CD en su ordenador mientras resuelve sus cuentas domésticas o escribe un libro.

Spotify

Spotify es el programa para escuchar la mejor música para cada momento. Funciona desde el ordenador, el móvil, la tableta y el sistema de música. Incluso puede descargar su música preferida para cuando esté desconectado.

Instale el programa y podrá para escuchar su música favorita siempre que esté dispuesto a soportar los anuncios que aparecen entre las canciones. Ya sabe que para evitarlos puede optar por una suscripción mensual. Los precios están disponibles en la página Web del servicio. Hemos intentado sin éxito encontrar algún artista o compositor que no esté en la lista del programa pero al parecer *Spotify* cuenta con casi todo, desde los grandes clásicos a lo más popular (figura 7.14).

iTunes

Entre los cientos de sitios que ofrecen música uno muy destacado es *iTunes*. Como explicamos en el capítulo 8, *iTunes* desarrollado originalmente solo para usuarios de *Macintosh*, ahora está disponible también para los usuarios de PC.

Descárguelo de `www.apple.com/itunes/download/`. *iTunes* ofrece la posibilidad de almacenar y catalogar su propia música, crear listas de reproducción y descargar cubiertas de álbum. De nuevo, hay que pagar, los detalles están la página (figura 7.15).

Nota: Todo parece indicar que el formato ePub, se convertirá en el estándar de los *eBooks* y terminará siendo para los libros, como el MP3 para la música.

Figura 7.14. Un nombre curioso para un buen sitio: http://www.spotify.com.es

Figura 7.15. Descargar iTunes.

Una vez instalado el programa, puede abrirlo haciendo clic en el icono del escritorio. Cuando *iTunes* se abre por primera vez busca en el disco duro del ordenador todos los archivos de música y los coloca en su biblioteca personal. Esto incluirá cualquier pista de música que haya transferido a su disco duro desde un CD. Una vez catalogados los archivos puede reproducir cada uno de ellos haciendo clic en el enlace Música de la sección Biblioteca; seleccione luego la canción que quiera reproducir.

INTERCAMBIO DE ARCHIVOS

El intercambio de archivos consiste en el intercambio de información almacenada digitalmente. Archivos de música, programas, contenido multimedia o libros electrónicos, todo se puede intercambiar con el uso de redes *peer-to-peer* (P2P) distribuidas. P2P significa en español de "persona a persona" y el nombre explica su esencia: la posibilidad de descargar archivos de las bibliotecas de otros usuarios, que estén utilizando el mismo programa en sus ordenadores.

Probablemente ya ha oído hablar de Napster que comenzó su andadura en 1999 distribuyendo música en formato MP3. Los archivos MP3 se descargaban de los ordenadores de otros usuarios, con la posibilidad de reproducirlos en su ordenador o pasarlos a un CD para escucharlos en equipos de música convencionales. El pequeño tamaño de los ficheros MP3 permitía moverlos por Internet en cortos intervalos de tiempo.

Esta flexibilidad para compartir música gratuita revolucionó la industria de la música y sobre todo nos hizo pensar en la posibilidad de tener acceso a todo tipo de música sin pagar por ella.

Por supuesto que Naspter no tuvo el visto bueno inicial de los editores de música y provocó la ira de las instituciones de protección de derechos de autor que lograron cerrarlo después de una batalla judicial.

En el año 2003 un juez de Estados Unidos sentenció que aunque el intercambio de archivos podría utilizarse para prácticas ilegales, el intercambio como tal no podía considerarse ilegal. Es por eso que las redes de intercambio de archivos en USA son legales. Sin embargo hay una estricta búsqueda y denuncia de aquellos que infringen las leyes de propiedad. Nuestro consejo es que se tome en serio los riesgos de denuncia antes de empezar a usar cualquier tipo de aplicación P2P.

Hay muchos sitios Web que ofrecen intercambio gratis de archivos. Napster actualmente sigue en el mercado como un sitio para descargarse música de forma legal con previo pago. Puede descargar el programa desde `http://www.napster.co.uk` y disfrutar de una prueba gratis de treinta días para comprobar si le interesa.

Después de este período tendrá que pagar una suscripción, encontrará los detalles de pago en el propio sitio (véase la figura 7.16).

RESUMEN

Hay muchas formas de entretenerse y divertirse en la vida, pero ¿qué hay del entretenimiento en Internet? Si tiene un ordenador con conexión a la red tiene garantizado todo tipo de opciones: radio, tv, prensa, vídeos, música, libros digitales... En este capítulo hemos hecho un repaso de todas las principales herramientas de entretenimiento, que como habrá podido constatar es amplio y diverso. Muchas veces la diversión termina en compra así que dedicaremos nuestro último capítulo a hablar de cómo comprar en la Web: es muy importante.

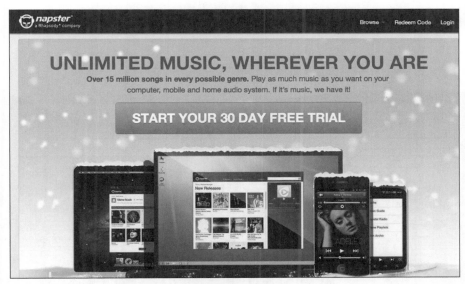

Figura 7.16. Puede descargarse Napster en esta página.

8. Compras a través de Internet

INTRODUCCIÓN

A estas alturas son pocas las empresas que no se han percatado de lo decisiva que es Internet para vender sus productos y servicios, de lo importante que es publicitar en la red, de lo necesaria de su presencia en las redes sociales.

Del lado del cliente todavía existen reminiscencias con la compra online. A pesar que ya casi todo se puede comprar en Internet, algunos usuarios siguen siendo reticentes por temor al fraude. Desde nuestra experiencia como compradores de productos y servicios en la Web podemos asegurarles que es un lugar lo suficiente seguro para comprar, si sigue ciertas reglas y toman las precauciones elementales. Lo primero que tiene que decidir es cómo va a pagar. La respuesta parece clara: a través de una tarjeta financiera, de crédito o de debito, pero las respuestas evidentes no son necesariamente las definitivas. Nuestra recomendación es la tarjeta de crédito, porque las compañías financieras ofrecen una importante protección frente al fraude y el mal servicio. En este capítulo vamos hablar de todo el proceso de compra y venta.

¿CÓMO COMPRAR EN INTERNET?

Si no ha comprado nunca en Internet este capítulo es para usted, si ya lo ha hecho posiblemente encuentre algunas sugerencias y consejos útiles. Comprar en la Web es fácil; si tiene un dispositivo con una conexión rápida a Internet y una tarjeta financiera.

Los pasos a seguir casi siempre son los siguientes:

1. **Localizar un producto:** ya sea navegando por la Web o a través de un buscador.

2. **Examinar el producto:** examinando las fotografías y la información adicional.

3. **Pedir el producto:** haciendo clic sobre el botón **Comprar** que enviará su artículo al carrito de la compra.

4. **Pagar el artículo:** introduciendo su información de pago y envío.

5. **Confirmar el pedido:** controlando el proceso de envió de la mercancía.

Localizar el producto

Las vías para comenzar una compra pueden ser muy diversas: un simple clic en un enlace en las redes sociales, el resultado de la navegación, la lista de un buscador, o abriendo un mensaje de correo electrónico con el enlace a un sitio.

El primer paso es siempre buscar el producto y casi hay que navegar hasta el sitio Web que ofrece lo que usted está buscando. Probablemente, una vez que este en el sitio deba seguir navegando a través de las distintas categorías de productos o puede utilizar la opción de búsqueda que tienen la mayoría de los sitios.

Navegar por las distintas categorías de productos es similar a buscar en una tienda por departamentos. Deberá entrar en el sitio y su la barra de navegación le dará acceso a todas las categorías principales de productos para posteriormente entrar en las posibles subcategorías. Vayamos por ejemplo a la tienda de moda de ropa deportiva Under Armaur: `http://www.underarmour.com/`

Figura 8.1. El sitio Web de Underarmour la tienda deportiva del futuro.

Observe en la página principal los accesos de la barra de navegación: Aparecen los enlaces Men, Women, Youth, Accesorios, Footwear, Accessories, Outlet y UA Stories. Si hace clic en la categoría **Men** aparecerán todas las subcategorías relacionadas con artículos para el hombre: Pantalones, Chaquetas, Polos y muchas otras por las que puede navegar en busca del producto deseado. Luego antes de decidir su compra podrá comprobar colores, tallas y modelos. Navegue por el sitio y disfrute de un sitio bien concebido y también de sus productos. No somos comerciales de Under Armour pero nos gustan sus artículos. Buscar productos en un buscador como Google es un método mucho más rápido

para encontrar lo que está buscando sobre todo si tiene en mente algo específico. Por ejemplo, si está buscando una alfombra para su salón introduzca la palabra "ventas de alfombras para el salón" en el cuadro de búsqueda y obtendrá una lista de enlaces relacionados con ese criterio. Puede que la búsqueda no sea una buena opción sino sabe exactamente lo que quiere, pero si lo tiene claro, la búsqueda es la opción más rápida y efectiva.

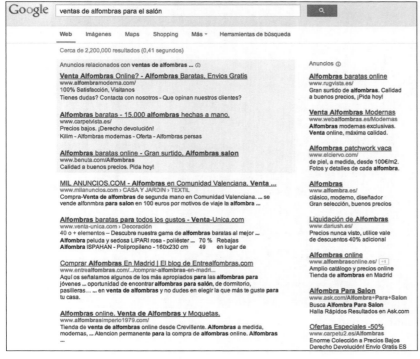

Figura 8.2. Resultados de la búsqueda "ventas de alfombras para el salón".

Examinar el producto

Una vez localizado el producto hay que examinarlo. De nuestro listado de enlaces anterior hemos decidido entrar en `http://www.alfombrasimperio1979.com`.

A través de los enlaces puede navegar hasta alfombras **Modernas Lana 100%** y se mostrará una página con todas las alfombras de estas características. Allí seleccione por ejemplo Alfombra Lana Moderna Cuadritos 2209.

Aquí puede ver las características principales del producto y obtener una imagen más clara del mismo. Haga hacer clic en el **Tamaño** para obtener el precio de la alfombra y luego si le interesa pulse el botón **Anadir al carrito** y se le invitará a registrarse en el sitio y luego a introducir sus datos para oficializar la compra.

Figura 8.3. El sitio: alfombrasimperio1979.com

Figura 8.4. Alfombra Lana Moderna Cuadritos 2209.

Muchas veces la información no es suficiente para justificar la compra. No es el caso de esta, al parecer, magnifica alfombra con lana de Nueva Zelanda. Siempre debe haber una descripción detallada del producto e imágenes para que tenga la idea más exacta posible. Mientras más imágenes vea sobre las vistas y los colores más cómodo se sentirá para realizar la compra, lo mismo sucede con los posibles accesorios. Si está seguro que le gusta lo que ve, complete el pedido pero nuestro consejo siempre es: No se precipite. Mientras no haya realizado el pago siempre hay tiempo de volver atrás.

Pedir el producto

Una vez añadidos los productos al carrito, el propio sitio le conducirá a realizar la compra real a través del botón **Comprar**, **Comparar ahora** o algún similar. El sitio Web proporciona un carro de compra virtual que funciona como un carro de compra real. Cada artículo que elija va a parar a su carro de compra virtual. Anadir un producto al carrito no significa que lo haya comprado. Tiene que hacer clic explícitamente en el botón **Comprar** y haber introducido sus datos de pago para que el pedido sea oficial. Puede seguir comprando y añadiendo elementos al carro de compra e incluso decidir abandonar su carro de compra y no comprar nada en ese momento. Lo único que tiene que hacer es salir del sitio Web y no se le cobrará nada. Es el equivalente a dejar su carro de compra en una tienda y salir por la puerta sin él. No tiene que pagar nada hasta que no pase por la línea de cajas.

Pagar el artículo

El pago es la última oportunidad que tiene para decidir sobre su compra. Puede eliminar artículos o cambiar las cantidades. En algunos sitios, puede optar porque envuelvan su artículo en papel de regalo y lo envíen como tal. Una opción que ofrecen algunos sitios es agrupar todos los artículos para reducir el coste del porte o enviar elementos de forma individual a medida que se encuentren disponibles. Agrupar artículos es una solución muy atractiva si disminuyen sus costes, pero si alguno de los artículos no se encuentra disponible, podría terminar esperando semanas o meses.

Para finalizar con la compra, tiene que visitar la caja, que es lo mismo que obtener el total a pagar, rellenar un formulario con sus datos, incluidos los financieros y aprobar la compra.

Si ya ha comprado antes en este lugar, puede que el sitio Web conserve su información personal y le proponga un Autorellenar. En caso contrario, tendrá que introducir su nombre, dirección y número de teléfono así como la dirección de envío, que a veces puede ser diferente a la dirección de facturación. También tendrá que introducir sus datos financieros, un número de tarjeta o de cuenta. Una vez llegado a este momento es bueno que analicemos las distintas formas de pago que hay en Internet.

Tarjetas de crédito

Lo primero que hay que tener en cuenta es que las empresas financieras no tienen ninguna responsabilidad en las compras que han sido pagadas con cargo a tarjetas de debito, pero si la tienen si las tarjetas son de crédito. Si usted paga con una tarjeta de crédito, y los servicios o los bienes se comprueban defectuosos, podrá poner una demanda de compensación al vendedor de los bienes o servicios y también a la compañía de financiación. Pero puede sucederle algo peor, que pase por el mal rato de que otros hayan utilizado sus datos financieros.

Este autor a tenido, alguna vez, la terrible situación de haber recibido pagos indebidos con su tarjeta de crédito...sin haberla perdido nunca. Alguien, desde algún lugar recóndito, donde no he tenido el gusto de estar, ha pagado con mi tarjeta. Lo cierto es que he recuperado mi dinero. Si le ocurrirá una situación similar, lo primero que debe hacer es la denuncia correspondiente a la policía. Cómo otros pueden robar los datos de su tarjeta es algo difícil de comprender y existen todo tipo de leyendas a este respecto. Las verdad es que muchas de ellas ni siquiera pasan por Internet. Lo más importante que necesita saber es que casi todas las tarjetas de créditos incluyen una clausula para prevenir ese respecto, por lo que no debe entrar en pánico.

En cualquier de los casos las siguientes precauciones siempre estarán a favor de usted:

1. Conserve toda la documentación relacionada con las compras online, y sobre todo su intercambio de correos,

así dispondrá de evidencias para poder mostrar a su compañía financiera y otras instancias.

2. Regularmente revise y controle la información que recibe de sus proovedores.

3. No olvide fotografiar cualquier daño en los artículos o en su embalaje.

4. Ante cualquier duda con una compra, contacte con su suministrador, cuanto antes mejor. Si no llega a ningún acuerdo acuda a su compañía financiera.

5. Confirme que hay un número de teléfono valido y una dirección a la cual se pueda dirigir para futuras reclamaciones antes de realizar su pedido por Internet. Una dirección de correo no es una dirección valida a este respecto.

6. No olvide que, hasta que haya entrado su nombre, dirección, número de teléfono, y los datos de la tarjeta de crédito no esta en peligro de hacer una compra no deseada. Con esta advertencia en mente, yo le recomendaría que practique la compra de artículos y servicios, antes de llegar al paso final.

7. Compruebe con regularidad sus cuentas bancarias y en caso de algún movimiento dudoso acuda a la policía, si no tiene una denuncia, es difícil que pueda prosperar ninguna reclamación.

Tarjetas de debito

También puede utilizar su tarjeta de debito para sus compras online pero no tienen la misma protección si algo falla en la transacción. Cualquiera que tenga una cuenta bancaria puede obtener una tarjeta de debito, pero a los excesos de descubierto, los bancos aplican altos cargos. Los vendedores no le cargaran casi nunca ningún extra por el uso de una tarjeta de debito, pero si deben cubrir los costes de mas alta protección implicados al crédito.

Transferencia Bancaria

Consiste en que el cliente paga previamente el importe del producto y el vendedor, una vez que ha confirmado la recepción del pago, lo despacha. Según el estudio de Comercio Electrónico en España, en el año 2011, un 4% de los compradores suelen utilizar esa modalidad. Para el comprador es un método algo incómodo porque retrasa el envío del producto comprado, ya que el vendedor, solo enviará dicho producto, cuando haya recibido el pago.

Contra Rembolso

Consiste en que el cliente final paga al transportista el importe por el producto comprado. El transportista a su vez ingresa el dinero en la empresa que representa la tienda online. Es el único método de pago en el comercio electrónico que implica el manejo de dinero en metálico. Es el sistema más seguro para el comprador, que no pagará el producto hasta haberlo recibido en su domicilio y haber comprobado que está correcto. Según el último estudio de Comercio Electrónico en España, aproximadamente un 11% de los compradores lo prefieren.

PayPal

La desaparición de los cheques en Internet generó un buen numero de métodos alternativos. Una de los primeros y más confiables fue el servicio ofrecido por la empresa PayPal. La esencia de este sistema de pago son las direcciones email, pero hay que disponer de una cuenta PayPal vinculada a esa dirección y a una tarjeta financiera o una cuenta bancaria. Una vez que tenga su cuenta PayPal gratuita ya puede comprar con ella en Internet. Es un sistema que no necesita que introduzca sus datos financieros, con su correo electrónico y contraseña basta.

Figura 8.5. La página de Paypal España: https://www.paypal.com/es/

Confirmar el pedido

Puede que exista un último paso que consista en confirmar el pedido, le preguntaran si realmente desea confirmarlo, solo por si ha cambiado de idea. Acto seguido, podrá ver una página de confirmación, que muestra su número de pedido. Escriba o imprima este número ya que tendrá que hacer referencia a él si necesita contactar con el servicio de atención al cliente. La mayoría de los sitios envian un mensaje de ratificación a través del correo electrónico con esta misma información.

En fin para comprar en Internet tiene que ir de tiendas, examinar el producto, hacer un pedido, pasar por caja y confirmar su compra. Igual a como se hace en una tienda real.

LOS MEJORES PRECIOS EN LÍNEA

Hasta hace muy poco tiempo, para buscar las mejores ofertas en la Web, era necesario visitar los sitios de docenas de tiendas online diferentes, un proceso que requería bastantes horas frente al ordenador. Esta situación ahora es diferente. Muchos sitios comparan los precios automáticamente para que pueda compararlos. Sólo hay que dirigirse al sitio de comparación de precios, buscar el producto deseado y dejar que el sitio devuelva la lista de tiendas online que ofrecen el producto junto con sus precios actualizados para que pueda elegir el que más le convenga.

Sitios de comparación de precios

Estos sitios permiten a los usuarios encontrar varios precios de diferentes tiendas online, para un mismo artículo. Los mejores sitios de comparación de precios ofrecen más que una simple información sobre los precios; permiten ordenar y filtrar los resultados de búsqueda de forma diferente y generalmente poseen información sobre los productos y las tiendas disponibles. Hay algunos hasta permiten realizar comparaciones de múltiples productos, algo útil si todavía no sabe exactamente lo que desea comprar. Estos sitios no venden directamente los artículos, simplemente funcionan como un vínculo entre compradores y tiendas obteniendo sus ganancias de las tiendas, que pagan un precio preestablecido por clic o bien un cargo por publicación.

Algunos de los sitios de comparación de precios más usados por este autor son:

- ▶ **Kayak:** Compara cientos de sitios de viajes a la vez. Vuelos y hoteles.
- ▶ **Carritus:** permite realizar la compra comparando los precios de los supermercados más importantes.

Figura 8.6.
http://www.kayak.es/

Figura 8.7. http://www.carritus.com/

- ▶ **Kelkoo:** recorre las mayores tiendas online en busca de precios, ofertas y promociones.

- ▶ **Trivago:** el comparador de precios de los hoteles.

- ▶ **Cochombo:** compara los precios de los talleres más cercanos.

COMPRAR CON SEGURIDAD

Comprar en línea es tan seguro como comprar en cualquier tienda tradicional. Ofrecen formas de pago seguras, una compra rápida y un servicio atento. A la hora de hacer una operación tenga en cuenta las siguientes consideraciones:

Figura 8.8. http://www.kelkoo.es

Figura 8.9. http://www.trivago.es

Figura 8.10.
http://www.cochombo.com

▶ No aceptar tarjetas de crédito es signo de una tienda muy pequeña casi siempre poco fiable.

▶ Los servidores seguros encriptan la información de la tarjeta de crédito para evitar el robo de los números de las tarjetas. Sabrá que está utilizando un sitio seguro cuando aparezca un pequeño icono de candado en la esquina inferior derecha del explorador Web. Si una página empieza por `http://` significa que la información esta siendo enviando a una conexión segura.

▶ Una buena información de contacto es sinonimo de buen hacer. No basta una dirección de correo electrónico, confirme que el sitio tiene su dirección postal, número de teléfono y número de fax. Así podrá contactar físicamente si algo va mal.

▶ Una política de devolución establecida y una garantía de satisfacción es un magnifico aval para una tienda. Asegurarse si tiene derecho de devolución si no le gusta lo que ha pedido.

▶ Garantizar la privacidad de su información personal. El sitio debería comprometerse a no compartir su dirección de correo electrónico e información de compras con ningún otro o con potenciales personas que envíen correo electrónico no deseado.

▶ Las tendas online deben indicar si el artículo está disponible y lo que tardará en ser enviado.

COMPRAR UN LIBRO EN INTERNET

Nos gusten o no los imperios hay que reconocer que una de las tiendas online más exitosas del mundo es Amazon. La compañía empezó en 1995 simplemente vendiendo libros con unos muy buenos descuentos y ahora ha ampliado sus operaciones para incluir videos, DVDs, CDs de música, hardware y software de ordenador, juguetes, joyas y muebles. Amazon que llego a España hace un año también vende libros de segunda mano, equipamiento a traves de almacenes asociados, y tiene un sitio de subastas.

Vamos a explicar la sencilla forma de comprar un libro. Imagine que quiere comprar un libro de Dreamweaver CS6, el editor por excelencia para el diseño Web.

Abra la pagina de Amazon *www.amazon.es*. Si es un cliente nuevo tiene que empezar por el proceso de registrarse introduciendo su direccion email y una contraseña. No esta obligado a ningun pago por hacer esto. Estar inscrito en Amazon le da derecho a realizar críticas sobre los productos que compra.

Una vez terminado el proceso de registro puede seguir con la busqueda de su libro siguiendo los siguientes pasos.

1. En la barra de búsqueda, en el menú desplegable, seleccione la opción Libros y en el cuadro de búsqueda introduzca las palabra Dreamweaver CS6 y haga clic en el boton **IR**.

2. En la barra de formato puede elegir entre las pestanas **Tapa Blanda** y **eBook Kindle**. Mucho cuidado con los eBooks que se venden a precios irrisorios, en la vida, nadie da duros por pesetas. Soy partidario de buscar información a la hora de comprar un libro: acudir a las editoriales de prestigio y a los blog con información especializada. Haga clic en **Tapa Blanda** y se activa un listado con los libros de Dreamweaver CS6 del mercado.

Figura 8.11. Libros de Dreamweaver CS6.

3. Haga clic en el título **Dreamweaver CS6 (Manuales Imprescindibles)** de Carlos Bernardo Alonso y aparecerán todos los detalles de esta publicación, incluyendo las criticas de los lectores y libros similares que otras personas hayan visto o comprado al comprar este libro.

4. Si se decide a comprar el libro, haga clic en el botón **Añadir a la Cesta**. Recuerde que este paso no lo compromete a realizar la compra. Puede añadir y quitar lo que quiera a la cesta de la compra.

5. A la derecha de la barra de búsqueda hay tres botones, el de centro es **Cesta.** Puede hacer clic en **Ver Cesta** que a su vez muestra su cesta de la compra con los elementos que la contienen, los datos del costo de envio y embalaje, la opcion de tener los objetos envueltos como regalo y la probable fecha de entrega.

Figura 8.12. El Manual Imprescindible de Dreamweaver CS6.

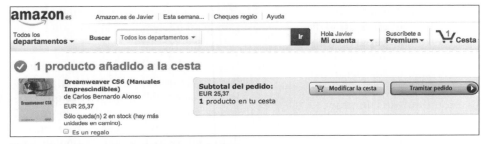

Figura 8.13. La cesta de la compra de Amazon.

6. Ahora tendrá que registrar los datos de su tarjeta de credito en Amazon para completar la compra. Haga clic en el botón **Registrar pedido**. Complete la información requerida junto con los datos de la tarjeta, la direccion donde quiere que le envíen la factura, así como el nombre y la direccion donde quiere recibir el envió. Seleccione una velocidad de envío. Al completar el pedido, aceptaras el **Aviso de privacidad** y las **Condiciones de uso** de Amazon.

7. Ahora que usted ha entregado todos los datos de pago, ahora ya puede comprometerse a pedir el libro, pero esto no sucedera hasta que haga clic en el punto de colocación de su pedido. Todavía esta a tiempo de cancelar el pedido, pero solo si lo hace una hora antes de haber colocado dicho pedido.

8. Una vez definida la dirección de entrega recibirá, en breves minutos, un email confirmando el pedido; por lo que es una buena idea comprobar la bandeja de entrada de su correo para verificar si el pedido es correcto.

En Amazon también se pueden vender libros de segunda mano, si tiene un libro que ya no utiliza por qué no considerar venderlo como de segunda mano. En la barra de herramientas tiene el enlace Vender que activa la ventana Vender en Amazon que muestra la figura 8.14.

En el cuadro de Vendedor Individual haga clic en el botón **Empieza a vender**, localice el libro que quiere vender y ponga su producto a disposición de todos. He encontrado verdaderos tesoros de colección gracias a esta venta de segunda mano, libros que hace tiempo están agotados en librerías. Amazon ofrece gratis el envio y el embalaje si la compra supera una cierta cantidad y si se envia a la misma dirección.

Figura 8.14. Vender en Amazon.

SUBASTAS EN INTERNET

Lo cierto es que las subastas han tenido mucho éxito en Internet. Gracias a la red podemos comprar y vender cualquier cosa tanto nueva como de segunda mano. El sistema es casi siempre el mismo: el ofertante ofrece un precio mínimo y el resto de usuarios interesados pujan, con una fecha tope en que la subasta quedar cerrada y el producto pasa al mejor postor.

Las subastas tradicionales suelen hacerse en casas de subastas reconocidas por coleccionistas y seguidores y venden productos de gran valor como es el caso de los objetos de arte y las joyas. En Internet hay subastas de cualquier cosa, desde una reliquia antigua hasta una pulsera de plástico.

Entonces ya lo sabe, si tiene tiempo y ganas puede poner en venta todo lo que no necesita y sacarle un precio por ínfimo que sea. eBay es el sitio de subastas más conocido, debe registrarse para poder participar tanto como vendedor como comprobador (figura 8.15).

Cuando desee adquirir algún artículo, es aconsejable comenzar por vendedores que estén bien calificados, hay un sistema de puntuación de opiniones de compradores. También es posible puntuar al comprador.

Figura 8.15. http://www.ebay.es/

Hay que estar alerta con los timadores que suelen rondar estos mundos de las subastas. Otros aspectos a tener en cuenta son los métodos de pago que acepta y la zona geográfica en que se encuentra no vaya a ser que los gastos de envío le resulten más caros que los propios artículos.

COMPRAS EN SITIOS WEB DE CUPONEO

El cuponeo se está convirtiendo en una forma cada vez más generalizada para comprar a través de internet. Consiste en la compra de productos y servicios con grandes descuentos en un período de tiempo determinado. Este tipo de productos y servicios son ofertados principalmente por portales de cuponeo que negocian dichos descuentos con las empresas que están dadas de alta en este sistema. El cuponeo permite aunar intereses de empresas y clientes de forma que las empresas venden más (y evitan el cierre de negocios) y los clientes compran con descuento (o para muchos, ahorran). Los portales Web de Cuponeo, negocian sustanciales descuentos en productos o servicios con los vendedores y se los ofrecen a sus socios (normalmente vía email diario). Normalmente los descuentos superan el 50% del precio de mercado del producto o servicio cuyo interés para la empresa se justifica por el mayor volumen de negocio y la fidelización de clientes que permite la venta con cupones.

He aquí algunos ejemplos de portales de Cuponeo en España:

- ▶ **Groupon:** www.groupon.es
- ▶ **Groupalia:** www.groupalia.com
- ▶ **Let Bonus:** es.letsbonus.com
- ▶ **Oportunista:** www.oportunista.com
- ▶ **Cuponeo:** www.cuponeo.com

PORTALES DE RECOMENDACIONES DE DESTINOS DE VIAJES

Cada vez más los usuarios a la hora de planificar sus vacaciones, se informan sobre los distintos atractivos que posee un destino turístico. Dentro de esa búsqueda de información lo que más valoran son las opiniones de otras personas, las recomendaciones de terceros sobre un destino turístico.

Esta demanda de información ha originado la creación de nuevos sitios Web que recomiendan destinos turísticos y donde buena parte de los contenidos expuestos, son opiniones y valoraciones de otros usuarios. En este tipo de portales también es posible hacer la reserva de un vuelo o la reserva de un hotel.

Un buen ejemplo de este tipo de portales es http://www.minube.com, donde se recomienda destinos turísticos y cada uno de ellos posee opiniones de usuarios que ya han estado allí. Adicionalmente se pueden ver fotos y mapas de dichos destinos (véase la figura 8.16).

RECOMENDACIONES DE HOTELES

Al igual que ocurre con los destinos turísticos, los usuarios a la hora de hacer una reserva de un hotel, tratan de informarse lo mejor posible sobre la calidad de servicio de dicho establecimiento. La mejor fuente a consultar por parte de los usuarios, suele ser las opiniones de otros usuarios que han probado dicho hotel. A raíz de este comportamiento, en los últimos años, han surgido portales Web, donde se publican recomendaciones de hoteles basadas en las opiniones de los usuarios. Estos sitios Web, suele poner la información de los servicios que ofrece cada hotel acompañado de comentarios y opiniones de usuarios más un sistema de puntaje o calificación del hotel.

Figura 8.16. Página de http://www. minube.com, donde se recomienda el destino de Alicante.

Un buen ejemplo de este tipo de portales de recomendación de hoteles es el famoso *site* `http://www.tripadvisor.es`, donde se listan los principales hoteles de una ciudad determinada, acompañado de distintas opiniones de los usuarios que ya han estado allí. Al final lo que vemos es una tendencia a mostrar más información sobre los hoteles, lo que repercute en un beneficio para el comprador, que cada vez se encuentra mejor informado.

El comercio electrónico alcanzó en el segundo trimestre de 2012 en España un volumen total de facturación de alrededor de 2.640,8 millones de euros, con un incremento de un 13,7% con respecto al mismo periodo de 2011. Este nuevo máximo histórico está todavía lejos de tocar techo.

Hasta donde llegaremos...pues muchos más lejos. Esferas como las agencias de viajes, los operadores turísticos, el transporte aéreo, el marketing directo el transporte terrestre de viajeros, los juegos de azar y apuestas, los espectáculos artísticos, deportivos y recreativos la publicidad y las prendas de vestir todavía tienen mucho que decir.

9. Redes Sociales

Las Redes Sociales están copando el protagonismo de Internet. Redes como Facebook, Twitter, Linkedin y otros, están acaparando más tiempo de uso por parte de los usuarios. En este capítulo explicaremos qué y cuáles son las principales a tomar en cuenta. También analizaremos el uso que le podemos dar desde el punto de vista de usuario y desde el prisma empresarial.

¿QUÉ ES LA WEB 2.0?

Las Redes Sociales adoptan la filosofía dela Web 2.0, un término que hemos escuchado varias veces. La Web 2.0 se refiere a una nueva generación de Webs basadas en la creación de páginas Web donde los contenidos son compartidos y producidos por los propios usuarios del portal. El término Web 2.0 se utilizó por primera vez en el año 2004, cuando Dale Dougherty de O'Reilly Media lo utilizó en una conferencia en la que hablaba del renacimiento y evolución de la Web.

Si hay una Web 2.0 necesariamente debe existir una Web 1.0, de donde evoluciona la primera. La Web 1.0 es la Web tradicional que se caracteriza porque el contenido de un *site* es producido por un editor o *Webmaster* para luego ser consumido por los visitantes de este *site*. En el modelo de la Web 2.0 la información y contenidos se producen directa o indirectamente por los usuarios del sitio Web y adicionalmente es compartida por varios portales Web de estas características.

La Web 2.0 pone a disposición de millones de personas herramientas y plataformas de fácil uso para la publicación de información en la red. Al día de hoy cualquiera tiene la capacidad de crear un *blog* o bitácora y publicar sus artículos de opinión, fotos, vídeos, archivos de audio, etc. y compartirlos con otros portales e internautas.

La Web 2.0 ha originado la democratización de los medios haciendo que cualquiera tenga las mismas posibilidades de publicar noticias que un periódico tradicional. Grupos de personas crean *blogs* que al día de hoy reciben más visitas que las versiones *online* de muchos periódicos. La Web 2.0 ha reducido considerablemente los costes de difusión de la información. Actualmente podemos tener gratuitamente nuestra propia emisora de radio *online*, nuestro periódico *online* y nuestro canal de vídeos. Al aumentar la producción de información se incrementa la segmentación de la misma, lo que equivale a que los

usuarios puedan acceder a contenidos que tradicionalmente no se publican en los medios convencionales.

¿QUÉ SON LAS REDES SOCIALES?

Las redes sociales en Internet son plataformas donde los usuarios pueden compartir grandes dosis de información. Son plataformas bajo la filosofía 2.0, donde cada uno de los usuarios crea, publica y comparte información con otros miembros de la red.

En estas comunidades, un número inicial de participantes envían mensajes a miembros de su propia red social invitándoles a unirse al sitio.

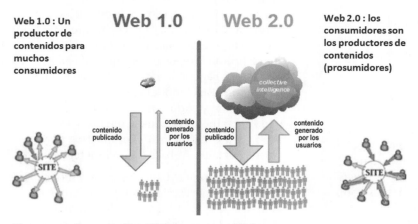

Figura 9.1. Comparativa Web 2.0 versus Web 1.0.

Los nuevos participantes repiten el proceso, creciendo el número total de miembros.

En 2002 comienzan a aparecer sitios Web promocionando las redes de círculos de amigos en línea, cuando el término se empleaba para describir las relaciones en las comunidades virtuales y se hizo popular en 2003, con la llegada de sitios tales como MySpace o Xing.

Portales como Facebook, Twitter, Youtube, Pinterest, Linkedin son redes sociales. Todas con distintas características pero con algo en común. Permiten que sus miembros tengan una cuenta o perfil y en ella puedan insertar grandes dosis de información, la cuál es pública y compartida con otros usuarios.

Veamos a continuación las distintas redes sociales o plataformas 2.0 más importantes:

LOS BLOGS

Según la Wikipedia "*Un blog, o una bitácora, es un sitio Web periódicamente actualizado que recopila cronológicamente textos o artículos de uno o varios autores, apareciendo primero el más reciente, donde el autor conserva siempre la libertad de dejar publicado lo que crea pertinente*". Para otros el *blog* es un portal Web debidamente estructurado para que cualquier persona sin conocimientos de programación pueda publicar información en un portal. Habitualmente, en cada artículo del *blog*, los lectores pueden escribir sus comentarios y el autor darles respuesta, de forma que es posible establecer un diálogo. El uso o temática de cada *Weblog* es particular; los hay de tipo personal, profesional, corporativo, etc. Los *blogs* no son exactamente redes sociales. Son portales Web que aplican la filosofía de la Web 2.0. Los usuarios pueden aportar contenidos al *blog* a través de los comentarios. Son como revistas temáticas donde existe mucha interacción entre el autor del *blog* y sus visitantes.

Los *blogs* desde su proliferación hace 8 años, se han convirtiendo en imanes de tráfico cualificado para ciertas empresas y modelos de negocio.

Tipos de Blogs

Blog personal

La mayoría de los *blogs* en España se pueden clasificar en este grupo. Muchos *blogs* importantes temáticos y profesionales comenzaron siendo *blogs* personales. Los autores de este tipo de *blog* escriben a título personal sobre sus conocimientos, puntos de vista, experiencias y aficiones.

Blog Corporativo

Es una extensión de un sitio Web de una empresa. Es como la revista de la empresa. En el *blog* corporativo podemos contar el día a día de la organización. Se suele pasar de la sección clásica de noticias de la empresa a un *blog* con lenguaje más informal donde se cuenta el diario de a bordo de la compañía y sus empleados. Se suele publicar contenidos sobre nuevos productos, eventos, noticias/ entrevistas a empleados y clientes, etc. Un *blog* corporativo bien programado y constantemente alimentado con contenidos de calidad repercute en un aumento de tráfico cualificado al sitio Web corporativo.

Blogs temáticos y profesionales

Se basan en temas muy específicos (economía, programación, marketing, Internet, política, finanzas, diseño gráfico, cine, música, cocina, literatura, etc.). Al centrarse en una temática muy especializada obtienen a largo plazo una audiencia muy fiel.

Ventajas de los blogs sobre otros formatos de publicación de portales Web

► Los paneles de administración y gestión de contenidos de un *blog* se caracterizan por su alta usabilidad.

► Los *blogs* poseen funcionalidades de la Web 2.0 incorporadas que permiten potenciar la creación de una comunidad.

► Los *blogs* tienden a ser más virales porque los *bloggers* son muy proclives a enlazar otros *blogs*, filosofía que en los portales tradicionales es muy escasa.

► Los *blogs* permiten a través de la gestión de los comentarios obtener un *feedback* de los usuarios del portal.

► Existe una elevada cantidad de personas creando recursos para que los *blogs* constantemente mejoren su programación.

► Montar un *blog* es tremendamente más barato que montar otro tipo de portal Web.

Figura 9.2. Apariencia de un blog temática sobre Padel.

FACEBOOK: LA RED SOCIAL GENERALISTA

Facebook es un portal Web englobado dentro de las redes sociales de la Web 2.0 y cuyo objetivo es compartir información con otras personas que conocemos. Fue creado en 2004 por Mark Zuckerberg, por aquel entonces de 19 años y otros dos estudiantes de la Universidad de Harvard, que buscaban crear una red para seguir en contacto con sus compañeros. Al día de hoy se estima que Facebook posee unos 900 millones de usuarios, de ellos unos 18 millones en España.

¿Qué podemos hacer en Facebook a nivel de usuario?

Los usuarios pueden crear gratuitamente un perfil personal, que consiste en una página donde se publica información personal de un usuario. Se añade inicialmente el nombre, información biográfica, información de contacto y una foto de perfil. Luego se buscan amigos ya registrados en Facebook y se les invita a ser amigos de nuestro perfil. Después, de manera constante se sube información al perfil tales como mensajes, fotos y vídeos.

El objetivo principal de este perfil es compartir información personal con otros miembros de Facebook. Toda esta información se publica de forma cronológica en el denominado Muro o Biografía (*Timeline*), que es un espacio que contiene cada perfil personal donde el usuario escribe mensajes y permite que otros amigos registrados en Facebook, escriban mensajes relacionados. En noviembre de 2011, Facebook cambio el nombre del Muro por Biografía o *Timeline*.

A lo largo de la vida de un perfil personal se van añadiendo usuarios de Facebook a nuestra lista de amigos. Parte de ese grupo de usuarios viene por invitaciones que hagamos nosotros y otra parte vendrán por invitaciones que recibimos de otros usuarios registrados de Facebook.

¿Qué hacen las empresas para promocionarse en Facebook?

Si bien es cierto, que la mayoría de los usuarios de Facebook se registran en busca de entretenimiento, también se puede compartir información comercial con el objetivo de promocionar un producto, servicio o negocio. En Facebook es posible hacer publicidad para los millones de usuarios que entran diariamente a ver cosas nuevas en su cuenta. Por otro lado, Facebook se puede convertir en un canal de marketing viral de nuestro mensaje publicitario porque su facilidad de expansión permite con un coste marginal llegar a grandes y segmentados grupos de potenciales clientes.

Entre las ventajas que ofrece Facebook a la hora de promocionar nuestros productos y servicios tenemos:

▶ **Facebook permite llegar al público adecuado**, a través de sus funcionalidades de *geo-targeting* y su base de datos debidamente perfilada por sexo, edad, ubicación, formación y otros parámetros.

▶ **Facebook proporciona las herramientas para convertir nuestro mensaje en Viral**. Dada la gran cantidad de usuarios y los escasos grados de separación que existen entre los usuarios de esta red social, un mensaje publicitario puede viajar en poco tiempo a una significativa masa crítica de potenciales clientes.

Facebook presenta varias alternativas para promocionar nuestro sitio Web. Cada una posee sus particularidades y mecanismos. Conozcamos cada una de ellas

▶ **Creación de páginas de Fans de la empresa**: consiste en la creación de un *mini-site* Web donde se publica información de la empresa que engancha a sus usuarios. Las empresas pueden publicar mensajes, fotos, vídeos, concursos, promociones, encuestas, y lograr un valioso *feedback*

con sus fans. También la herramienta páginas de Facebook es un excelente instrumento de fidelización *online*. Es posible avisar a todos los admiradores registrados en una página sobre nuevos eventos a celebrarse. Por ejemplo, si tenemos una página en Facebook de una Universidad o Escuela de Negocios, podemos enviar un aviso a todos los fans registrados a cerca de los nuevos cursos académicos que se van a abrir.

▶ **Creación de grupos:** la opción grupos permite crear páginas temáticas dentro de Facebook con una serie de funcionalidades y contenidos añadidos (enlaces, opiniones, fotos, imágenes, encuestas, etc.). De forma gratuita podemos crear un grupo relacionado con nuestra marca, producto o servicio. Por ejemplo, si tenemos un gimnasio podemos crear un grupo con consejos para las personas que les gusta hacer ejercicios de musculación o *fitness*. En dicho grupo se puede añadir el logo de la empresa, información corporativa, noticias, promociones, imágenes, vídeos, etc. En el citado grupo se pueden generar opiniones o debates donde se puede tomar nota del *feedback* que tienen los clientes sobre un producto o servicio.

▶ **Creación de aplicaciones y juegos**: Facebook logró su popularidad siendo una red social capaz de contener aplicaciones realizadas por terceros, permitiendo así la realización de negocios a partir de la misma. La forma en que Facebook coloca las aplicaciones de otras empresas ayuda a que se extiendan. Así, los usuarios las suelen ubicar en su perfil personal, con lo cual las promocionan indirectamente entre sus amigos. Facebook permite crear aplicaciones o pequeños programas que todos sus usuarios pueden usar. Existen empresas especializadas en desarrollar aplicaciones sociales para Facebook. Por otro lado las empresas estas creando aplicaciones para potenciar su marca, los juegos por ejemplo, son una de las aplicaciones más compartidas en esta red social.

Figura 9.3. Apariencia de perfil personal en Facebook.

TWITTER, LA RED SOCIAL DE LOS MENSAJES CORTOS

Twitter es una herramienta Web que nos permite publicar y recibir pequeños mensajes dirigidos a una red de seguidores. El Twitter es como un micro *blog* donde los mensajes o *tweets* publicados no pueden **exceder los 140 caracteres**. El envío de estos mensajes se puede realizar por el sitio Web de Twitter, desde un teléfono móvil, desde programas de mensajería instantánea, o incluso desde cualquier aplicación de terceros.

Los usuarios pueden suscribirse a los *tweets* de otros usuarios, a esto se le llama "seguir" y a los suscriptores se les llaman "seguidores". Por defecto, los mensajes son públicos, pudiendo difundirse privadamente mostrándolos únicamente a seguidores.

Cuando un usuario elige seguir a otro usuario de Twitter, los *tweets* de ese usuario aparecen en orden cronológico inverso, en la página principal de Twitter. Si usted sigue a 30 personas, verá una mezcla de de los *tweets* o mensajes desplazarse hacia abajo de la página.

Twitter se le encuadra dentro del grupo de las redes sociales porque es un sitio Web donde cualquier usuario puede publicar y compartir información de cualquier tipo. Twitter es la red social que está creciendo a mayor velocidad. Supera en tasas de crecimiento a otras redes sociales como Facebook o

Linkedin. España es el noveno país que más utiliza Twitter donde existen 9,6 millones de cuentas creadas.

La principal fortaleza de Twitter es su simplicidad. Escribir frases de no más de 140 caracteres está al alcance de cualquiera. La interfaz Web de Twitter es tremendamente sencilla, pues tan sólo tiene una caja de texto en la que escribir. No hay que acostumbrarse a una interfaz complicada, como sí sucede en otras redes sociales más complejas.

Uso de Twitter a nivel de usuario ¿Qué podemos hacer?

▶ **Para estar informados de temas que nos interesen**: Podemos crear una cuenta en Twitter y seguir a otras cuentas de profesionales que suele hablar de determinados temas. Por ejemplo si soy corredor profesional, puedo seguir las cuentas de otros maratonistas, de empresas de productos para correr, etc.; y seguir sus mensajes, los cuales considero de valor añadido.

▶ **Para estar informado de los temas más populares que marcan tendencia**: Twitter posee una un módulo de tendencias, donde se publican las noticias y mensajes más populares del día en Twitter. Esto es el equivalente a la portada de un periódico, donde vamos a ver los mensajes más comentados en dicha red social. Hay usuarios que están sustituyendo leer los periódicos *versus* revisar las tendencias en Twitter.

► **El uso de** Twitter **se ha incrementado en el mundo de la televisión**, haciéndola más interactiva y social. Twitter se usa exitosamente para animar gente a ver televisión en vivo de eventos, como las Premios Oscar, y los Premios MTV Vídeo Music. etc.

► **Para comunicarnos con nuestros seguidores**: El Twitter se está utilizando como complemento al correo electrónico y al envío de SMS. Muchos usuarios prefieren enviar mensajes públicos o privados a sus amigos a través de esta red. Dado que muchos usuarios poseen el Twitter instalado en sus dispositivos móviles, la velocidad de respuesta es muy rápida y efectiva.

¿Cómo empezar con Twitter?

Lo primero, es crear una cuenta en la Web de Twitter (`www.Twitter.com`). En dicha cuenta debemos poner la información más importante que nos define. Basta con un texto corto explicando a qué nos dedicamos o cuál es nuestro proyecto actual. Todos los que vayan a curiosear en nuestra página leerán lo que ponga en este punto, que junto a la foto, tiene una importancia especial. También es posible modificar todo el fondo gráfico de la página.

Una vez creada la cuenta, podemos empezar a escribir, a buscar amigos y a ganar seguidores. ¿Y de qué escribimos? La regla es sencilla: de todo aquello que pueda interesar a los demás. Lo fundamental es marcar una clara línea editorial. Puede ser muy personal ("lo que hago en mi vida") o temática ("a lo que me dedico"). Respecto al número de mensajes, no hay una regla de oro de mensajes diarios mínimos, pero sí está demostrado que a mayor frecuencia de publicación de mensajes de calidad, mayor incremento de seguidores.

Y por último paso, debemos atraer seguidores. Usuarios que al ver nuestro perfil en Twitter, sientan la motivación de suscribirse y seguirnos. Para esto hay toda una serie de técnicas provenientes todas ellas del mundo de las Relaciones Públicas. Normalmente la calidad del contenido es el mejor imán para atraer nuevos seguidores.

¿Qué puede hacer una empresa para promocionarse en Twitter?

Las empresas están viendo cómo en las redes sociales están hablando constantemente de sus marcas.

Figura 9.4. Apariencia de perfil en Twitter.

Algunas empresas se encuentran con el dilema de promocionarse o no en las redes sociales. El hecho es que si ya se está hablando de su marca; ahora se tiene la oportunidad de participar en la conversación.

Twitter **es una de las herramientas con más viralidad** y alcance de las opiniones que se pueden generar sobre una marca. Dado esto, las empresas están comenzando a aplicar una estrategia que permita escuchar lo máximo posible para poder hablar donde haga falta.

Lo primero es dar de alta en Twitter a la empresa o marca. Abrir una cuenta es gratis y lleva cinco minutos. Pruebe crear un canal en Twitter con el nombre de su marca o empresa: `Twitter.com/nombreempresa`.

Después de crear la cuenta, personalice su perfil añadiendo una buena imagen, un persuasivo texto descriptivo de su empresa, un enlace a su página Web y un diseño gráfico personalizado acorde con los colores corporativos. Recuerde que su canal en Twitter es una extensión digital de su organización.

Lo segundo que recomendamos es hacernos seguidores o *followers* de otras cuentas de Twitter donde se hable de nuestro sector, mercado y marca. Para muchas empresas el Twitter se ha convertido en un estudio de mercado gratuito de reputación *online* y de necesidades de los consumidores.

En tercer lugar, viene la estrategia de publicación de contenidos, y es allí donde comienza lo interesante. Dependiendo la empresa, el sector o el modelo de negocio, la estrategia de publicación difiere. A continuación citamos algunos ejemplos de lo que han hecho algunas empresas:

- ▶ Si es una tienda, publique ofertas y promociones a sus seguidores. Utilice Twitter como una herramienta de promociones exclusiva para su comunidad.

- ▶ Si es una empresa que vende alimentos, publique consejos o recetas de cocina. Este tipo de contenido es el preferido por los usuarios. Comunique que es un experto en su sector a través de la publicación de consejos.

- ▶ Hay empresas que están utilizando Twitter como un canal de atención al cliente donde invitan a los usuarios a quejarse y preguntar sobre sus servicios a través de esta red social. Si dichas quejas y preguntas son bien respondidas en Twitter, quedará en una Web pública esta información que puede dejar bien parada a la marca.

- ▶ Si organiza una conferencia, puede abrir una cuenta en Twitter para que el público que no asistió siga el evento leyendo los resúmenes y opiniones que publican los asistentes.

- ▶ Si tiene un hotel busque usuarios en Twitter que piden recomendaciones de alojamiento en su zona geográfica y envíeles un mensaje con su recomendación

- ▶ Si tiene un portal de turismo, busque usuarios que piden recomendaciones de "planes que hacer y visitas a realizar en una ciudad" y envíeles información de sus ofertas.

Twitter no va a ser una moda pasajera. Todos los días salen nuevos usos y modelos de negocio apoyados en esta herramienta Web. Investigue qué aplicación puede tener Twitter en su empresa y comience a hacer experimentos. Prepare su empresa para cuando Twitter sea la plataforma Web de mayor uso por parte de sus potenciales clientes.

LINKEDIN: LA RED PROFESIONAL

Es una red social encuadrada dentro del grupo de redes profesionales. Es como Facebook, pero enfocada a contactos profesionales. En Linkedin se pueden publicar información personal y profesional, y a través de dichos perfiles, generar redes y contactos profesionales. En ella también se pueden publicar debates, artículos, noticias, preguntas y respuestas, y grupos de interés.

Linkedin que se lanzó en el 2003, cuenta con más de 175 millones de personas registradas en más de 220 países. En España están suscritos cerca de 3 millones de usuarios. El ritmo de crecimiento es exponencial. El secreto de Linkedin es la filosofía de los seis grados de separación, que permite a las personas conectarse a una red más amplia, encontrar a los demás y que los demás los encuentren a ellos.

Este tipo de redes profesionales potencian la visibilidad de los perfiles profesionales de los miembros. Cada vez son más las personas que consiguen nuevos puestos de trabajo a través de Linkedin.

En Linkedin se buscan contactos profesionales, así como en Facebook se buscan amigos. En Linkedin se invita a otros usuarios a convertirse en contactos profesionales. A mayor número de contactos profesionales mayor *networking* se puede lograr.

Algunas de las ventajas que ofrece Linkedin para los usuarios son:

- ► Potencia el encontrar trabajo ya que Linkedin se está convirtiendo en la herramienta preferida por las empresas para la búsqueda de nuevos candidatos para un puesto de trabajo.

- ► Promueve el *networking*.

- ► Nos permite estar actualizados de información de una temática determinada. A través de los grupos temáticos nos podemos suscribir y estar informados de los nuevos mensajes y debates que se publican.

- ► Permite contactar con nuevos clientes y proveedores (véase la figura 9.5).

¿Qué puede hacer Linkedin para promocionarnos?

Linkedin nos permite crear un perfil personal, que es una especie de currículum vitae pero más amplio e interactivo. Este perfil debidamente redactado, puede salir muy bien posicionado en el buscador interno de Linkedin. Por ejemplo, si una empresa utiliza el buscador de Linkedin y escribe la frase "consultor en medio ambiente", nuestro perfil puede salir en los primeros resultados del buscador, siempre y cuando tengamos un perfil creado con textos relacionados con dicha frase. En consecuencia, un buen perfil profesional creado en Linkedin, aumenta la visibilidad de nuestro currículum e incrementa nuestras posibilidades. Adicionalmente los perfiles que obtienen más contactos profesionales, también se suelen posicionar mejor en el buscador interno de Linkedin.

Similar a los grupos de Facebook, en Linkedin podemos crear grupos especializados en un tema. En dicho grupo se pueden añadir artículos, noticias, debates, preguntas y ofertas de empleo. Lo interesante de estos grupos es que los usuarios de Linkedin que se hagan miembros, recibirán cada 7 ó 15 días, un boletín con la información subida recientemente a dicho grupo.

Figura 9.5. Apariencia de perfil en Linkedin.

Por ejemplo, si somos expertos en *coaching* profesional, podemos crear un grupo en Linkedin sobre *coaching* y en él publicar información de valor añadido como artículos, noticias del sector, debates, etc. Los usuarios interesados en el *coaching* podrán suscribirse al grupo y además de participar, recibirán en sus cuentas de correo electrónico un boletín quincenal con las actualizaciones de información de dicho grupo. Es una forma indirecta de promocionar nuestros servicios profesionales.

> **Nota:** En definitiva, la fórmula ganadora para tener la mayor visibilidad en Linkedin consiste en crear un robusto perfil personal, aumentar de forma constante el número de contactos y mover nuestros mensajes y artículos en los distintos grupos profesionales de Linkedin.

GOOGLE PLUS: LA RED SOCIAL DEL TODOPODEROSO GOOGLE

Google+ o Google Plus es la nueva red social de Google. Es una red Social con escasamente 1 año de vida. Google Plus comenzó a utilizarse en un grupo reducido de usuarios a través de invitaciones. En realidad no es el primer intento de Google en crear una red social masiva. Anteriormente había sacado las aplicaciones sociales Wave y Buzz que no tuvieron éxito. Google Plus tiene aproximadamente unos 80 millones de usuarios en todo el mundo, y 2 millones de ellos en España.

Es una red social generalista similar a Facebook, donde destacan algunas funcionalidades tales como los Círculos, donde podemos clasificar a nuestros contactos por distintas tipologías o formas. Cuando se accede a Google Plus encontramos un flujo de noticias, donde se pueden compartir fotos, vídeos, enlaces y la ubicación con los amigos. En Google+ se han integrado todos los productos de Google como Buzz, Blogger, Picassa, Youtube, Gmail, entre otros (véase la figura 9.6).

PINTEREST: EL TABLÓN DE IMÁGENES DE LO QUE TE INTERESA

Pinterest es la red social de moda. A pesar del poco tiempo que tiene, esta creciendo a pasos agigantados. Es una red social donde se comparten imágenes/fotografías y se ordenan por distintas colecciones. Pinterest fue fundada en 2009 y la lanzaron como una versión privada en marzo de 2010.

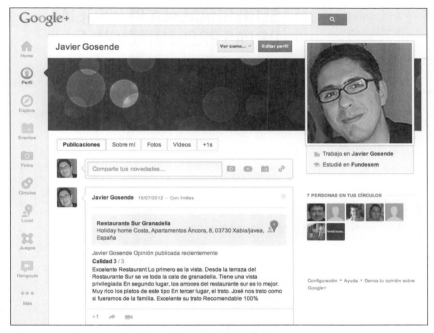

Figura 9.6. Apariencia de perfil en Google Plus.

Actualmente solo se permite el acceso mediante invitación. Pese a ello, su crecimiento está siendo muy rápido, dado que ha alcanzado los 11,7 millones de usuarios mensuales.

¿Cómo funciona Pinterest?: Lo explicamos mejor con un ejemplo gráfico. Supongamos que tenemos una pared con un tablón de corcho y en dicho tablón pegamos diferentes imágenes (y vídeos) que nos gusta ver.

Pues ese tablón de imágenes es público y lo podemos compartir con todo los usuarios que tengan cuenta en Pinterest. Estos usuarios pueden valorar (pinear) y comentar cada uno de las imágenes subidas al tablón. Como toda red social, otros usuarios pueden seguir tu cuenta y enterarse de las actualizaciones de tu tablón.

Actualmente Pinterest está siendo usado por aficionados a Internet de todo tipo, principalmente mujeres entre 25 y 44 años.

Según algunos estudios, el 70 por 100 de los usuarios son mujeres. También hay algunas empresas y marcas probando sus usos potenciales para difundir imágenes interesantes, fotografías de productos, portfolio de trabajos realizados, entre otros (véase la figura 9.7).

SLIDESHARE: LA RED SOCIAL DE LAS PRESENTACIONES

Slideshare es una aplicación de web 2.0 que permite publicar y compartir presentaciones. *Slideshare* es como el Youtube pero enfocado a presentaciones *online*. Su dirección web es www.slideshare.net.

Figura 9.7. Apariencia de perfil en Pinterest.

Una vez que subimos nuestra presentación y es procesada, las convierte en formato `.flash`, y ya la tenemos disponible a través de una dirección Web pública. También nos permite compartirla a través de correo electrónico o meterlo con su propio reproductor en nuestra página Web.

¿Cómo crear una cuenta de Slideshare?

► **1. Abrir una cuenta en** `www.slideshare.net`: Se debe completar un formulario de alta con los datos típicos (nombre, contraseña)

► **2. Editar el Perfil**: Se aconsejar rellenar todo el formulario con los datos del perfil (foto o avatar, sexo, país, ciudad, sitio web, descripción e intereses). Muy importante sobre todo dejar un enlace hacia nuestro sitio Web corporativo.

► **3. Subir la presentación**: Una vez editado el perfil, ya podemos comenzar a subir nuestras presentaciones. Debemos procurar que cada una de ellas se etiquete correctamente (título, descripción, categoría y *tags*). Admite archivos de hasta 20 Mb de peso,

sin transiciones entre diapositivas; además de la mayoría de formatos de presentaciones (PowerPoint, Open Office, Pdf).

► **4. Publicación**: Una vez subida la presentación esta se publica de forma privada o de forma pública para que se indexe en los buscadores y la pueda ver cualquier visitante que llegue a `www.slideshare.net`. Adicionalmente podemos seleccionar la opción de que la presentación se pueda descargar o no por otros usuarios registrados.

► **5. Difundir la presentación**: Una vez publicada, se puede insertar dicha presentación en cualquier *blog* o portal Web. Se realiza a través del copiado y pegado de un código de programación muy sencillo de gestionar. La presentación se ve vía *streaming* en el *blog* que se ha insertado sin perjudicar la velocidad de carga de este tipo de web.

► **6. Socializar**: Podemos seguir a otras cuentas de Slideshare, hacer comentarios sobre cualquier presentación y añadir a favoritos aquellas presentaciones que más nos gusten.

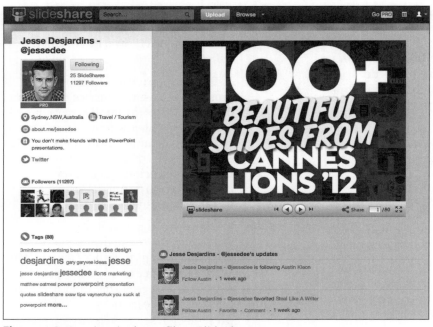

Figura 9.8. Apariencia de perfil en Slideshare.

FLICKR: REPOSITORIO DE FOTOS PARA COMPARTIR

Flickr es una red social propiedad de Yahoo que ofrece la posibilidad de publicar y compartir fotografías lanzado en febrero de 2004. Flickr es un sistema de gestión de fotografías que permite al usuario subir sus propias fotos y clasificarlas por categoría, además de poder escribir su perfil. Existen cuentas gratuitas y también pagadas.

Flickr es una comunidad tremendamente fuerte y con una amplia base de usuarios. Posee más de 40 millones de usuarios registrados en todo el mundo. Se encuentre entre los 50 sitios web con más tráfico en el mundo. La popularidad de Flickr se debe fundamentalmente a su capacidad para administrar imágenes mediante herramientas que permiten al autor etiquetar sus fotografías así como explorar y comentar las imágenes de otros usuarios.

Características de Flickr

▶ Flickr posee una amplia gama de aplicaciones. Los usuarios pueden subir sus fotos desde el escritorio, correo electrónico o teléfono móvil.

▶ Desde diciembre de 2006 (antes sólo había capacidad de 20 MG para cuantas gratuitas y 2 GB para las pagadas).

▶ Desde abril de 2008, Flickr también permite a los usuarios con cuenta pagada, subir vídeos que pueden durar hasta 90 segundos, con tamaño de hasta 150 MG.

▶ También es posible crear productos con las imágenes como tarjetas, calendarios y álbumes.

Figura 9.9. Página de una cuenta de Flickr.

► Las fotografías o imágenes y vídeos también pueden enviarse a través del correo electrónico.

FOURSQUARE: LA RED SOCIAL PARA LA GEOLOCALIZACIÓN

Foursquare es una red social basada en la geolocalización y enfocada a dispositivos móviles. Esta red social fue creada en el año 2009. Para explicar mejor de que va Foursquare, lo ilustramos con un sencillo ejemplo: Supongamos que estamos dentro de un restaurante determinado y accedemos a nuestro teléfono móvil, abrimos la aplicación de Foursquare (que se descarga gratuitamente) y apretamos la opción "Check-in". La aplicación almacenará en su sistema que existe un restaurante X en determinada localización geográfica. Días después, si un nuevo usuario de Foursquare camina cerca del restaurante dado de alta, y accede a su aplicación Foursquare y solicita información de restaurantes chequeados en Foursquare, este vía GPS le mostrará todos los restaurantes dados de alta previamente en esta red social.

También Foursquare funciona como herramienta de recomendaciones. Los usuarios de Foursquare cuando chequean un negocio puedan hacer comentarios cortos sobre dicho negocio. Esos comentarios u opiniones pueden ser leídos por otros usuarios que se encuentren cerca geográficamente de dicho negocio. Por ejemplo, si queremos saber qué opina la gente sobre una pizzería en la que estamos a punto de entrar, hacemos "check-in" con el teléfono móvil y ahí tenemos lo que escribieron otros sobre ese lugar. También puede ser útil si queremos saber quién de nuestros contactos está cerca nuestro para encontrarse, llamarlos, etc.

La clave que ha diferenciado a Foursquare, sobre otras redes sociales similares, radica en que ha convertido el hecho de ir marcando todos los sitios visitados en un juego. Cada vez que visitamos un local el usuario obtiene un determinado puntaje, que se va acumulando hasta conseguir ciertos títulos o grados. El usuario que más *check-in* ha realizado sobre un sitio Web se lleva el grado de "*Major* de un sitio" (alcalde de un sitio), lo cual se convierte en un incentivo para todas las partes implicadas: por un lado para el usuario por lograr ese rol "único" y para el dueño del negocio o local, a quien interesa conocer cuál es el cliente que más lo visita.

TUENTI: LA RED SOCIAL DE LOS JÓVENES EN ESPAÑA

Creado en el año 2006, Tuenti es una red social dedicada al público joven español. Sigue un formato similar a otras redes sociales como Facebook, (de hecho, se le ha llamado el Facebook de España). El perfil de sus clientes se sitúa entre los 15 y 25 años.

Permite al usuario crear su propio perfil, subir fotos, comentar en los perfiles de amigos, estar conectado con amigos y otras personas del mundo así como realizar numerosas otras aplicaciones. Es una de las páginas Web más populares en España.

Tuenti posee otras muchas posibilidades como crear eventos, Tuenti Sitios y Tuenti Páginas, etiquetar amigos en fotos, comentar sus estados, crear su propio espacio personal, chatear a través de su propio chat y Tuenti Juegos, que son juegos dentro de la red social. Recientemente ha sido añadida la funcionalidad de Vídeo Chat, con el cual es posible chatear con amigos a través del chat de la red social.

La mayor diferencia con sus competidores es la privacidad, pues se entra por invitación. En Tuenti cada usuario tiene la opción de dejar ver el perfil sólo a sus contactos. Esto permite que la mayoría de ellos utilicen el nombre real (nada de nicks) y suban archivos privados, porque confían en que sólo sus amigos los verán.

INSTAGRAM: LA RED SOCIAL PARA COMPARTIR LAS FOTOS DEL MÓVIL

Instagram es una red social gratuita enfocada a compartir fotos con la que los usuarios pueden aplicar determinados efectos fotográficos. Adicionalmente permite compartir dichas fotografías en diferentes redes sociales. Como toda red social, permite que otros usuarios sigan nuestra cuenta, valoren y comenten cada una de las fotografías publicadas.

El 11 de marzo de 2012, Instagram anunció que había alcanzado la cifra de 27 millones de usuarios registrados en todo el mundo. La gran diferencia de Instagram con respecto a otras redes sociales, es que es una aplicación exclusiva para dispositivos móviles. Las fotos se toman desde el teléfono móvil.

Instagram fue diseñada para iPhone y a su vez está disponible para sus hermanos iPad y iPod. A principios de abril de 2012, se publicó una versión para Android.

Los aspectos más importantes que debes saber sobre Instagram son:

► Una característica de Instagram es que toma fotografías cuadradas, similares a las que tomaban las cámaras 'Kodak Instamatic en los 60s´.

► Cuenta con varios filtros digitales que te permiten transformar las fotografías que tomas, mejorando la calidad del producto final. Puedes modificar colores, ambiente, bordes y tonos.

► Se toma la fotografía y se comparte en otras redes sociales como Facebook, Flickr y Twitter.

▶ Es posible procesar y compartir fotos que ya estaban en nuestro teléfono móvil.

Figura 9.10. Página de Instragram.

EL COMMUNITY MANAGER: GESTOR DE LAS REDES SOCIALES

Las redes sociales han traído varios cambios al mundo empresarial. Uno de los más notorios ha ocurrido en el ámbito laboral. Se ha creado un nuevo perfil profesional: El *Community*

Manager, aquella persona encargada de ser el gestor o moderador de la comunicación en redes sociales de la empresa. Este mundo tan amplio de la Web 2.0 obliga a las empresas a tener una persona en plantilla o a contratar los servicios externos de una empresa, para contar con un gestor de su imagen en redes sociales.

Entre las principales funciones del *Community Manager* tenemos:

▶ Mantener actualizado los perfiles de las redes sociales.

▶ Gestionar la reputación *online* corporativa. Monitorizar cómo se está hablando de la marca que representa en las distintas redes sociales

▶ Hacer *networking* a favor de la empresa.

▶ Encontrar nuevas vías de comunicación entre la empresa y su comunidad.

▶ Transmitir las opiniones de los clientes sobre la marca a la empresa.

▶ Convertir a los fans, seguidores, contactos en clientes rentables.

▶ Generar contenido que enganche a los usuarios y los fidelice.

▶ Identificar tendencias y oportunidades para su empresa en la Web 2.0.

10. Marketing de un sitio Web

LA WEB, UN PAÍS DE OPORTUNIDADES PARA CAPTAR CLIENTES

En la publicidad tradicional, las empresas poseen distintas herramientas para lograr ventas o reconocimiento de marca: *spots* en televisión, cuñas de radio, buzoneo, marketing directo, patrocinio de eventos deportivos, relaciones públicas, etc. En Internet, contamos igualmente con diferentes tipos de herramientas para captar visitantes y convertirlos en clientes fieles.

Las empresas han conseguido gracias a su presencia en internet, crear un nuevo canal efectivo para comercializar sus productos y servicios. Año tras año, Internet se está convirtiendo en una fuente de clientes rentables para las empresas.

La promoción de un sitio Web debe nacer de un plan de marketing en Internet, que se basa en un grupo de objetivos, los cuales debemos tener bien claros desde el inicio. Existen muchas herramientas de marketing en Internet, pero no todas sirven para lograr los mismos objetivos. En función del momento de contacto con el cliente, ya vimos en el primer capítulo que había, en una clasificación muy básica, herramientas para atraer tráfico, convertir ese tráfico en clientes del sitio Web, otras para tratar de fidelizar esos clientes y también estrategias para ayudar a convertir a los clientes fieles en evangelizadores. Pero en función de los fines de nuestro sitio Web, podemos también diferenciar varios tipos de objetivos que condicionarán nuestra elección de una o varias estrategias de marketing *online*. A continuación daremos un vistazo a las principales herramientas y estrategias de marketing *online* con la que cuentan las empresas en Internet.

POSICIONAMIENTO NATURAL EN BUSCADORES SEO

El posicionamiento natural en buscadores, también conocido como SEO (*Search Engine Optimization*) es una estrategia cuyo objetivo es la atracción de tráfico de calidad a través de la visibilidad en buscadores como Google, Yahoo! o Bing. En efecto, la mayoría de usuarios emplea los buscadores para descubrir nuevos contenidos en Internet. Dado que, tras realizar una búsqueda la mayoría de ellos consulta sólo los primeros resultados, resulta comprensible que las empresas dediquen cada vez más recursos para lograr que su sitio Web aparezca entre esos primeros puestos.

El posicionamiento en buscadores consiste en adoptar ciertas estrategias y aplicar diversas técnicas encaminadas a lograr que los principales buscadores de Internet ubiquen a determinada página Web en una alta posición dentro de su página de resultados (para determinados conceptos claves de búsqueda). Por ejemplo; si mi empresa se dedica a la venta de arandelas metálicas, posiblemente me interese salir en los primeros puestos de los resultados orgánicos de Google cuando un usuario escribe dicha frase en un buscador.

Posicionamiento natural versus Posicionamiento en anuncios patrocinados

A menudo en la bibliografía de buscadores nos topamos con términos como "posicionamiento orgánico" o "posicionamiento natural". Casi todos los motores de búsqueda generan dos tipos distintos de resultados: los resultados naturales u orgánicos, que son los que están basados en el algoritmo imparcial de cada buscador y, por tanto, no implican inversión publicitaria en el propio buscador y; por otro lado, los resultados patrocinados, cuya clasificación sí depende del dinero que se invierta en los anuncios publicitarios en el propio buscador. Cuando escuchamos hablar de posicionamiento orgánico o posicionamiento natural nos referimos exclusivamente al posicionamiento de resultados orgánicos.

Cada motor de búsqueda muestra los resultados orgánicos y los patrocinados en una ubicación específica dentro de la página de resultados. Los tres grandes buscadores (Google, Yahoo y Bing) mantienen, más o menos, el mismo patrón de presentación de los resultados naturales *versus* los resultados patrocinados.

Los resultados naturales van del lado izquierdo y los resultados patrocinados van generalmente del lado derecho. En ocasiones, cuando el anuncio patrocinado cumple ciertas condiciones de efectividad, los buscadores pueden presentar hasta 3 anuncios patrocinados en la parte superior izquierda de los resultados, siempre que encajen con la búsqueda realizada; esto mejora notablemente la efectividad del anuncio (véase la figura 10.1).

¿Cómo funciona un buscador?

Para poder lograr un óptimo posicionamiento natural en buscadores, lo primero es conocer cómo funciona un motor de búsqueda y de qué forma clasifica la información. Los buscadores poseen un robot o araña que sale todos los días a rastrear páginas Web. Conocer cómo funciona esa araña es la clave para lograr un mejor posicionamiento en buscadores. Las arañas o robots, a la hora de rastrear y clasificar un sitio Web, toman en cuenta los siguientes elementos:

▶ **Las palabras que se encuentran en las páginas Web:** Las arañas de los buscadores crean índices a partir de las palabras que encuentran en las páginas Web que rastrean.

▶ **Los enlaces que se encuentran dentro de una página Web**: Las arañas de los buscadores emplean los enlaces para saltar de un contenido a otro, de una Web a otra.

Figura 10.1. Resultados orgánicos o naturales de un buscador.

▶ **Las palabras claves dentro de una página Web:** Para ordenar los resultados de una búsqueda en función de su relevancia, los buscadores tienen en cuenta, entre otros factores, la presencia de las palabras que se buscan en los contenidos de las páginas Web.

▶ **Los enlaces que recibe esa página Web:** Los buscadores toman muy en cuenta la calidad y cantidad de enlaces externos que recibe un sitio Web.

¿Qué hacer para que una página Web se posicione en los primeros lugares de los buscadores

Investigar las frases de búsqueda con las que nos están buscando los usuarios

Antes de retocar nuestra página, tenemos que hacer un breve estudio e identificar cuáles son las principales frases en las que deseamos posicionarnos. Esas palabras o frases, tienen que ser lo más parecido posible a las frases que utilizan nuestros clientes frente al buscador. Por ejemplo si tengo una web que vende césped artificial, debo apuntar el posicionamiento en buscadores a frases como "césped artificial", "comprar césped artificial", "instalación césped artificial", "césped artificial para casas", "césped artificial para canchas", etc.

Facilite la navegación en el sitio

Trate de que todas las páginas de su sitio Web estén vinculadas a través de enlaces HTML. Un sitio Web con enlaces rotos obstaculiza la acción de rastreo de la araña de los buscadores. Igualmente, trate de que la arquitectura de su sitio Web no sea muy profunda, pues hará que a la araña de los buscadores le cueste más llegar a las últimas páginas. Se recomienda que como máximo haya 4 enlaces de distancia entre la página principal y la página más profunda del sitio Web.

Inserte adecuadamente las palabras claves en los contenidos de cada página

Lo ideal es que los conceptos claves que deseamos posicionar en una página estén incluidos a lo largo de los párrafos de contenido de dicha página Web. ¿Cuántas veces? Es difícil dar una cifra exacta. Dependerá del total de texto que tenga su página, de lo específico que sea el texto de con cuánta competencia se enfrenta en los buscadores por la misma categoría. Tenga en cuenta que si la combinación de términos con que desea ser encontrado apenas aparece en la página, los buscadores no la considerarán relevante para dicha búsqueda. Pero al contrario, si la repetición del término puede llegar a ser detectada como excesiva, entonces los buscadores pueden castigar igualmente la página por abuso en el empleo del mismo. A la hora de decidir cuál es el límite apropiado, lea el texto en voz alta. Si el lenguaje suena natural y el término no se repite de forma artificiosa, seguramente estará a salvo del riesgo de ser castigado por abuso. Algunos expertos recomiendan tener una densidad de palabras clave entre 2 a 3 por 100; es decir, por cada 100 palabras de contenido en una página, insertar 2 ó 3 veces la misma palabra clave.

Cree contenidos de calidad frecuentemente

Hemos visto que a los buscadores les encanta el contenido; es lo mejor que puedan indexar para posicionar un sitio Web. Cualquier inversión que hagamos para actualizar de contenidos nuestro sitio Web, es la mejor inversión que podemos hacer para enamorar a los buscadores y también a los usuarios.

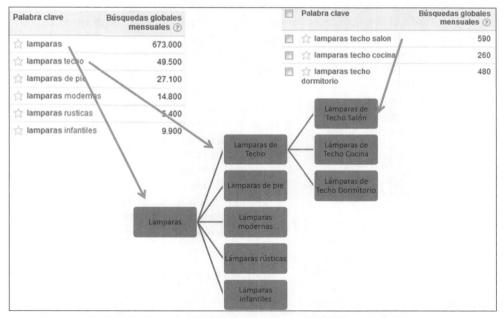

Figura 10.2. Relación de frases muy buscadas por los usuarios y palabras que debemos usar en nuestro sitio Web.

Crear un *blog*, un foro, una sección de preguntas y respuestas, tutoriales, opiniones de productos, sección de noticias, sección de consejos, etc; es una buena estrategia para posicionarnos en un grupo más amplio de palabras clave.

Obtención de enlaces desde otros sitios Web para mejorar el posicionamiento en buscadores

Después de haber optimizado la programación y el contenido de una página Web para hacerla "amigable para los buscadores", el siguiente paso es aumentar el número de enlaces hacia la misma desde otros sitios Web externos. Para poder entender mejor la importancia de conseguir enlaces externos, es necesario analizar los algoritmos de la mayoría de los buscadores y ver de qué manera se calcula la popularidad Web. Una página Web A recibe un enlace de la página Web B y de la página Web C. Los motores de búsqueda interpretan que la página Web B y la página Web C le otorgan un voto cada una a la página Web A. Es decir, la página Web A al final recibe dos votos o enlaces entrantes. En principio, la popularidad se puede ver el número de votos que se reciben de otras Web. El enlace es la traducción de votos o recomendaciones de otras Web. Metafóricamente, los buscadores toman en cuenta las recomendaciones de otras páginas Web atribuyendo una mayor credibilidad a aquellas páginas con un mejor nivel de calidad.

EL PAGO POR CLIC: TRÁFICO DE BUSCADORES BAJO CONTROL

La modalidad de pago por clic incluye a las herramientas del marketing en Internet cuyo modelo de negocio se basa en el coste por clic o en el pago a la plataforma de publicidad. Por cada clic que ha realizado un usuario sobre un anuncio publicitario Web de su marca o empresa, hay un coste.

Dicho coste es lo más parecido a calcular el coste que puede hacer que un potencial cliente llegue a una tienda. El coste por clic es igual a la inversión realizada en esta herramienta de marketing entre el número de visitas que se obtiene. Por ejemplo, si un anuncio Web le cuesta al mes unos 400 euros y en dicho período se registraron un total de 50 visitas, el coste por clic será de 400 euros / 50 visitas = 8 euros por visita.

Ventajas del pago por clic

► La misma palabra lo dice: solamente se paga por el clic que se hace sobre el anuncio. A diferencia de otras herramientas como las de pago por impresión, las herramientas de pago por clic le garantizan que está pagando exactamente por el número de visitas que llegan a su sitio Web.

▶ Le posibilita conocer el coste promedio de las visitas que llegan a su Web, permitiendo calcular de forma más fácil la posible rentabilidad de su campaña de e-marketing.

▶ El cliente determina cuánto quiere invertir. Sabiendo el coste por clic o visita se puede fijar un presupuesto máximo por cada campaña que se realice.

▶ Las campañas de pago por clic le permiten obtener resultados de forma inmediata. Montar una campaña efectiva puede llevar un par de horas. A partir del primer día de campaña ya es posible obtener un importante número de visitas cualificadas a su sitio Web.

Anuncios patrocinados en buscadores (SEM)

Los anuncios patrocinados en los buscadores (Yahoo!, Google, Bing) se clasifican dentro del grupo de las herramientas de pago por clic, cuya particularidad principal es que sólo se paga la inversión cuando el potencial cliente hace clic en el anuncio ofrecido. Los anuncios patrocinados aparecen en las páginas de resultados de los buscadores, suelen verse en el margen derecho de la página de resultados, en ocasiones se muestran en la columna izquierda por encima de los resultados naturales. Los anuncios poseen un formato estandarizado (un anuncio textual en forma de rectángulo) compuesto por un titular corto, dos líneas descriptivas y la dirección Web de la página del anunciante.

Los textos que normalmente se incluyen en un anuncio patrocinado son el nombre del producto, una breve descripción del mismo y la dirección Web de la página específica del anunciante, donde se ofrece dicho producto o servicio. Estos anuncios, cuando los usuarios hacen clic sobre ellos, funcionan como un enlace o *link* permitiendo que dichos usuarios aterricen automáticamente en la página Web del anunciante. Por ejemplo, una tienda *online* de colchones puede crear una campaña cuyo objetivo sea aparecer en los primeros puestos de Google cuando alguien escriba la frase de búsqueda "venta de colchones en Internet" (véase la figura 10.3).

Los anuncios patrocinados funcionan como una subasta por palabras clave, donde el anunciante que más paga es el que aparece en primera posición para una determinada expresión de búsqueda.

Figura 10.3. Anuncios patrocinados en los resultados de Google.

En la actualidad, las plataformas de anuncios patrocinados en buscadores más utilizadas son AdWords de Google, Yahoo! Search Advertising y Microsoft AdCenter, siendo la de Google la que se utiliza en la mayoría de las veces por parte de las empresas

Pasos para crear una campaña de anuncios patrocinados en Google

▶ 1) Crearse una cuenta de Google Adwords. Si tenemos una cuenta de Google, como por ejemplo, el correo de Gmail, podemos crear la cuenta directamente. Si no es así, se debe crear una cuenta de correo de Gmail.

▶ 2) Una vez creada la cuenta, comenzamos a crear la campaña Lo primero es segmentarla. Podemos decidir en qué país o ciudad se pueden mostrar nuestros anuncios patrocinados. Seguidamente seleccionamos el presupuesto a invertir por día.

▶ 3) Comenzamos a redactar los anuncios. Los anuncios están compuestos por 4 líneas de texto que son el titular, línea descriptiva 1, línea descriptiva 2 y URL de destino. En cuanto al titular, lo mejor es insertar la palabra clave con la que deseamos posicionarnos. La línea 1 y 2 del anuncio suelen ser utilizadas para escribir una ventaja diferencial de la empresa, un gancho, un atributo que posee y del cual su competencia carece. Finalmente, la línea de URL de destino se utiliza para indicar la página de aterrizaje o *landing page* donde deseamos que el usuario aterrice, una vez que haya hecho clic en el anuncio patrocinado.

▶ 4) Una vez redactado el anuncio, debemos identificar cuáles son las frases de búsqueda que activarán los anuncios, las cuales tienen que tener relación con lo que ofrecemos. Si no tenemos certeza de cuáles son las frases de búsqueda más atractivas para anunciarse, los buscadores ofrecen herramientas sugeridoras de palabras clave que hemos nombrado anteriormente en este capítulo.

▶ 5) Una vez asignadas las frases de búsqueda, podemos activar la campaña. Lo que tendremos que hacer es revisar de forma frecuente, los resultados que se van dando dentro de la campaña y

que la herramienta nos proporciona a través de su panel de estadísticas de rendimiento. Para que una campaña produzca sus frutos, es obligatorio hacer seguimiento día a día de los resultados que se están registrando. Siempre se pueden hacer mejoras continuas tales como ajustar presupuestos, mejorar la redacción de los anuncios, crear nuevos anuncios, pausar los anuncios menos rentables y otros. La combinación de estas tareas repercutirá en una campaña más rentable.

▶ 6) De nada sirve tener el más atractivo de los anuncios si después el usuario aterriza en una página con poca información y escasa usabilidad, que obliga al potencial cliente a huir hacia la página Web de la competencia. Trate de que la página donde llegue el usuario que hace clic en su anuncio patrocinado refleje realmente la oferta que anunció previamente en su anuncio. Asegúrese también de que esa página tiene todo lo necesario para persuadir a la visita de convertirse en cliente.

BANNERS PUBLICITARIOS EN INTERNET

Un *banner* es un formato publicitario en Internet que consiste en incluir una pieza publicitaria dentro de una página Web. Su objetivo fundamental es atraer tráfico hacia el sitio Web del anunciante que paga por su inclusión. Todo tipo de sitios Web son susceptibles de incluir toda clase de *banners* y otros formatos publicitarios, aunque en la mayoría de los casos son los sitios con contenidos de mayor interés o con grandes volúmenes de tráfico los que atraen las mayores inversiones de los anunciantes.

La publicidad en *banners* ha ido copiando los modelos tradicionales de publicidad *offline*. En el caso del *banner* su origen está en las vallas publicitarias que vemos en las calles o en las piezas publicitarias que aparecen en prensa y revistas. Son anuncios llamativos que vienen integrados en la información que se nos presenta en una Web y difícilmente podemos decidir si queremos verlos o no.

Los *banners* suelen ser una herramienta de marketing en Internet muy provechosa para mejorar el *branding* de la empresa y atraer grandes caudales de tráfico Web. Sin embargo, como toda herramienta de marketing, si no se gestiona correctamente pasa a ser una alternativa muy costosa. Gestionar una campaña de *banners* pasa por buscar el portal adecuado para promocionarlo y el diseño gráfico que mejores resultados proyecte, de acuerdo a nuestro presupuesto.

Figura 10.4. Banners Publicitarios publicados en un sitio Web.

A pesar de que existen datos históricos y tendencias sobre las prácticas que mejor funcionan, solamente con la experiencia de probar varias campañas podremos ir perfilando poco a poco nuestra estrategia para llegar a crear el *banner* perfecto.

Consejos para promocionarnos con banners

Banners sencillos y directos

No es recomendable sobresaturar de texto, colores e imágenes el *banner*. Hágalo fácil; si el *banner* posee mucha información los visitantes los rechazarán. Si el objetivo del *banner* es hacer clic para aterrizar en una página Web, lo recomendable es hacer bien visible la llamada a la acción que nos asegure que el usuario va a pinchar en el enlace. Usar textos como "Haga clic aquí", "Infórmate aquí", por ejemplo, funcionan bastante bien.

Publique su banner en un portal adecuado

Investigue los portales relacionados con su actividad que soportan *banners*. Mientras más segmentados hacia su temática, mejor. Averigüe los formatos de *banners* que ofrecen y sus diferentes tarifas de precios. No debemos obnubilarnos por el dato grueso de tráfico de un sitio Web; en ocasiones un portal Web con menos tráfico, pero más segmentado hacia nuestro público objetivo, puede ser más interesante para nuestra campaña de *banners*. Por ejemplo; si somos una empresa que vende material deportivo, nos será más ventajoso insertar nuestros *banners* en un portal Web enfocado a contenidos deportivos y que posee 100.000 páginas vistas al mes, que en la página *home* de un periódico online que posee 500.000 páginas vistas al mes.

Buscar el portal y el formato de banner que mejor se adapta a su presupuesto

Las tarifas o precio de los *banners* dependen de varios factores. Según el tráfico del portal donde se anuncie el *banner*, el tamaño del *banner* y la ubicación de éste, el precio será mayor o menor. A mayor tráfico Web que tenga un *site*, más costoso será publicar el *banner*; cuanto mayor sea el área en píxeles del *banner*, más costoso será su promoción y; mientras mejor ubicado esté el *banner*, también más costosa será la campaña. Dado que nuestro presupuesto no es infinito, debemos buscar el *banner* que sea más eficaz en captar visitas con la menor inversión de dinero. El modelo comercial de contratación de *banners* es sencillo: el sitio Web del anunciante vende impresiones o páginas vistas. Este modelo está basado principalmente en el pago por impresiones, que se guía por la medida del CPM (coste por mil), que es el precio que se paga por el *banner* cuando se muestra 1.000 veces en un sitio Web. El CPM en portales Web se mueve entre los 5 a los 50 euros, dependiendo del tráfico y segmentación del sitio Web. Por ejemplo, si el CPM de un sitio Web es de 20 euros, significa que si un anunciante quiere comprar 40.000 impresiones en un mes, el contrato total quedaría en 40.000 impresiones x 20 coste por mil / 1.000 = 800 euros.

Mida su campaña de banners

Debemos contratar con proveedores que nos den acceso a algún sistema de medición del rendimiento del *banner*. Si no podemos controlar el número de impresiones que se van registrando día a día y la cifra de clics registrados, no sabremos qué está pasando con nuestra campaña. Normalmente, el portal donde publica su *banner,* ofrece al anunciante un panel privado que le permite visualizar diariamente el número de impresiones, la cifra de clics y el porcentaje de veces que se ha hecho clic sobre el *banner*.

CAMPAÑAS DE EMAIL MARKETING

El *email marketing* es una herramienta del marketing en Internet que consiste en la utilización del email con fines comerciales o de fidelización. Un *mailing* es el envío de cierta información (promoción, catálogo, publicidad, etc.) a través del email a un grupo o grupos de personas (suscriptores) de una lista de direcciones seleccionada, bajo determinados parámetros de segmentación. Con mucho sentido común podemos hacer que nuestra oferta de productos y servicios llegue a nuestro público objetivo a través del envío de un email.

La comunicación con nuestros clientes anteriores, a través del envío de mensajes publicitarios o promocionales de correo electrónico puede ser una estrategia muy efectiva para fidelizar a los usuarios habituales de nuestro sitio Web. Muchos clientes tendrán interés en nuevos productos o servicios que le podamos ofrecer en el futuro y otro grupo de clientes puede sentir curiosidad en conocer información relevante del sector en el que nos desenvolvemos (véase la figura 10.5).

Ventajas del Email Marketing

Las ventajas del email marketing con respecto a otras acciones de marketing en Internet (*banner*s, pago por clic, marketing buscadores, etc.) están muy relacionadas con su flexibilidad, inmediatez y bajos costes. El email marketing ofrece los siguientes beneficios:

▶ A mayor curva de experiencia en la herramienta, los costes disminuyen.

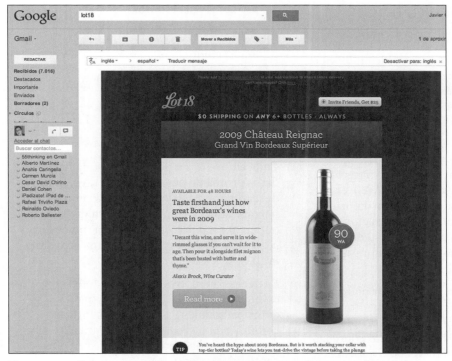

Figura 10.5. Email comercial abierto en un programa de correo electrónico.

► Es perfectamente medible en cada una de sus fases. Incluso es posible medir los resultados en tiempo real.

► Es una herramienta rápida donde se puede obtener casi el 100 por 100 de los resultados en menos de 48 horas.

► Es una herramienta que permite corregir errores de forma rápida y a un coste muy bajo.

► Es perfectamente medible a un coste menor.

► Es altamente segmentable.

El Boletín electrónico o newsletter: emails de fidelización

El boletín está destinado a la creación de valor para el lector en el largo plazo. Generalmente este formato es de emisión periódica (cada quince días, cada mes, cada trimestre, etc.) y se envía a la misma base de datos que va creciendo poco a poco, con la incorporación de nuevos contactos.

El boletín debería tener un diseño parecido al de nuestra imagen corporativa Web; el objetivo de este formato, es el recordatorio de marca y el aumento de la fidelización de clientes o potenciales clientes. Se suele enviar información novedosa sobre la empresa y sus productos.

Un ejemplo de boletín o newsletter podría ser el que usa una empresa de consultoría, que cada mes envía un email a su propia base de datos privada, con artículos sobre las últimas tendencias del mercado o noticias corporativas. El objetivo de este boletín, para la propia consultoría, es el de generar un mayor posicionamiento de la marca y que los miembros de su lista de contactos siempre la tengan en su mente en el largo plazo.

¿Qué es necesario para hacer una campaña de emailing?

Toda campaña de email marketing debe incluir los siguientes puntos:

▶ Una base de datos o lista de usuarios.

▶ Contenido o mensaje.

▶ El envío.

▶ Medición de la campaña.

La Base de Datos en el email Marketing

Cada empresa puede construir una base de datos propia de potenciales clientes. Para desarrollar esta lista existen diferentes herramientas y técnicas. Generalmente se obtienen los datos de usuarios a través del registro voluntario de éstos en nuestro sitio Web.

Es necesario motivar a los visitantes de nuestra Web para que dejen sus datos personales y así enviarles futuras comunicaciones comerciales. Para ello tenemos que despertar su interés en nuestros contenidos, productos y servicios.

Por otro lado, no tenemos que conformarnos con hacer solamente acciones online para obtener un mayor número de contactos cualificados. También hay acciones de marketing tradicional que pueden convertirse en un imán de contactos. Por ejemplo, el contactar vía email y solicitar permiso de inclusión en nuestra lista de distribución a aquellas personas con las que hemos intercambiado tarjetas de presentación. Si la empresa se promociona a través de ferias, eventos, seminarios, puntos de venta, etc., normalmente puede obtener datos de contactos que posteriormente, previo permiso, puede añadir a su lista de distribución.

Contenido o mensaje en una campaña de email marketing

Una vez haya depurado su base de datos, lo siguiente es diseñar el mensaje que enviará para cumplir sus objetivos. El mensaje en una campaña de email marketing se puede subdividir en tres fases tales como; la línea de asunto, la maquetación o diseño del correo electrónico y, finalmente, la gestión de la *Landing Page* o página de destino.

La línea de asunto de un email: la carta de presentación de su campaña

La línea de asunto es la frase utilizada en el sujeto del email enviado. El éxito de apertura de un email deriva en un 50 por 100 de la eficaz redacción de la línea del asunto. Si el texto que decidimos plasmar como presentación de nuestro email no llama la atención del público objetivo, estamos condenados al fracaso en este tipo de campañas. El aumento del *spam* ha entrenado al usuario a mirar con rapidez la línea de asunto de los emails recibidos y descartar aquellos que no llaman su atención. La línea de asunto, debe ser una frase corta, que describa eficientemente el contenido del email y con cierto gancho para que el usuario quiera abrir el email que recibe.

Maquetación de una Newsletter

A pesar de que un email publicitario es una página en HTML, constituye todo un arte maquetarlo para que se vea correctamente en más del 90 por 100 de los distintos programas gestores de correo electrónico de nuestros destinatarios. Por un lado los diversos clientes de correo poseen sus propias reglas de visualización y, por otro lado, los filtros *anti-spam* generan bloqueos ante ciertos patrones de diseño Web. Paradójicamente, el email bien maquetado es aquel que se diseña como si fuera una página HTML de hace 10 años.

Puntos a tomar en cuenta para la maquetación de un email publicitario o *newsletter*:

▶ Que no sea muy ancho su contenido.

▶ No abusar del uso de imágenes.

▶ Contenido resumido y de interés.

▶ Enlaces a la página web corporativa para que el usuario pueda ampliar la información.

Cómo gestionar el envío de un email de fidelización: "El Cómo y Cuándo"

Cuando nuestra base de datos comienza a ser importante, una opción es suscribirnos a soluciones online especializadas en la gestión y envío de campañas de email marketing. Estos programas son accesibles desde una simple página Web y generalmente funcionan con licencias de suscripción.

Dichos programas evitan múltiples problemas a la hora de enviar nuestro email y minimizan la posibilidad de que no lleguen los emails a sus destinatarios. Cuando la base de datos es muy grande se envían los emails en varios grupos, evitándose algunos filtros *anti-spam* que actualmente suelen usar los programas de correo. Las ventajas de estos programas es que además de gestionar el envío, poseen otras funciones notablemente útiles tales como; el almacenamiento y gestión de la base de datos, el diseño del email o boletín y tal vez lo más importante; la medición de los resultados de cada uno de los envíos. Algunos programas de email marketing que recomendamos son MailChimp, ConstantContact, CampaignMonitor, iContact, VerticalResponse, entre otros.

El mejor momento para enviar un email es cuando, nuestro público objetivo está en la mejor posibilidad de abrirlo y leerlo. El truco es enviarlo en el momento que tendremos menos competencia para ser visto por nuestros potenciales clientes. Si nuestro email no es visto de inmediato, porque el usuario no está en ese momento, nuestro email quedará condenado a no ser identificado de entre un grupo de emails acumulados sin leer. En definitiva se recomienda no enviar el email los fines de semana, en la noche, en días festivos y tratar de ser disciplinado con la frecuencia de envío. También se sugiere no enviar más de 1 vez por semana. Un email que se envía al mes o cada 15 días suele estar bien.

Medición de resultados en el email marketing

Como último paso dentro de una campaña de email marketing tenemos la medición de resultados. Como toda herramienta de marketing en Internet, las campañas de email marketing se puede medir perfectamente. De nada sirve enviar cientos de emails si no podemos precisar cuantitativamente los resultados obtenidos.

Para lograr esto necesitamos adquirir algún programa especializado en la gestión de emails que contenga la función de *tracking* de los emails enviados. Al día de hoy existen muchos programas con esta funcionalidad.

Los datos que se pueden medir en una campaña de email marketing son:

► Número de emails enviados.

► Número de emails rebotados.

► Número de emails abiertos.

► Número de usuarios que se han dado de baja de la base de datos.

► Número de usuarios que han abierto el email y que han hecho clic en algún enlace interno del cuerpo del email.

► Número de usuarios que han reenviado el email a otra persona.

LAS REDES SOCIALES COMO ESTRATEGIA DE NEGOCIO PARA UNA EMPRESA

Las Redes Sociales están haciendo mucho ruido en Internet. Tanto ruido nos obliga a estudiar si nuestro plan de *emarketing* debe pasar por la promoción en las redes sociales. Conocer algunos conceptos básicos de los beneficios esperados y los pasos a seguir en una campaña de Social Media, es lo primero que debemos saber antes de aventurarnos en esta nueva estrategia de marketing digital.

¿Qué debemos preguntarnos antes de ejecutar una campaña de promoción en las redes sociales?

► ¿Mi marca, producto o servicio tiene salida en las redes sociales?

► ¿Tengo tiempo para crear contenidos para las redes sociales?

Para responder a estos 2 pilares esenciales en la disyuntiva de crear, o no crear una estrategia de marketing en la Web 2.0, debemos investigar los beneficios de promocionarse y los pasos típicos a seguir en una campaña de estas características. Algunos autores piensan que las redes sociales pueden ser una moda pasajera. Sin embargo, al día de hoy, muchas redes sociales no han llegado a su punto de inflexión y su curva de usuarios registrados sigue siendo ascendente. Una campaña de promoción bien gestionada, en las diversas herramientas que ofrece la Web 2.0, puede convertirse en un canal de atracción de tráfico Web efectivo, medible, barato y rentable.

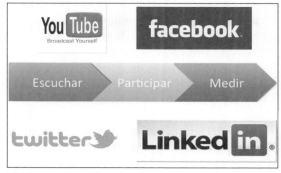

Figura 10.6. Pasos a realizar en una campaña de redes sociales.

Beneficios de promocionarse en las redes sociales

► **Es una canal adicional de visitas Web cualificadas:** Al día de hoy el tráfico Web proveniente de redes sociales es perfectamente medible. Su tendencia es creciente, aunque su ritmo de crecimiento sea lento. El crecimiento exponencial del uso de las redes social engrosa el mercado potencial de clientes a obtener.

► **Son una herramienta de fidelización:** Las redes sociales nos permiten mantener informados a nuestros clientes de toda nuestra actividad. Cada vez que el usuario entra en su perfil social se entera de lo que está haciendo nuestra empresa.

► **Aumenta el *branding*:** En las redes sociales el nombre de nuestra marca sale retratado de forma permanente. Una eficaz campaña de redes sociales aumenta el conocimiento de una marca. De igual manera algunos usuarios consideran que los perfiles sociales que poseen muchos fans o seguidores son porque la empresa ofrece productos y servicios de calidad.

► **Genera enlaces externos que apuntan a nuestro sitio:** En muchas redes sociales se pueden insertar enlaces o *links* que apunten a nuestro sitio Web. Algunos de estos enlaces contabilizan para el mejoramiento del posicionamiento en buscadores.

► **Permite obtener un *feedback* de nuestros productos y servicios:** Normalmente en las redes sociales los miembros de la comunidad pueden insertar comentarios u opiniones. Esta información puede convertirse en un pequeño estudio de mercado.

► **Pueden ser una herramienta adicional de atención al cliente:** Cada vez son más las empresas, que se suben al carro de utilizar las plataformas de redes sociales para extender sus servicios de atención al cliente. Por ejemplo la red social Twitter, se puede convertir en una línea telefónica adicional para que los usuarios de un producto o servicio puedan hacer llegar sus quejas y preguntas obteniendo una respuesta más rápida y eficiente por parte de la empresa.

Estrategia a seguir en redes sociales

Se debe huir de campañas a corto plazo en las redes sociales. Esto es una carrera de fondo, donde primero se invierte mucho tiempo y recursos en escuchar lo que se dice de nuestro sector, nuestra marca, de nuestra competencia para luego construir una estrategia de comunicación que logre fidelizar a los clientes; normalmente publicando contenidos interesantes. Mucha paciencia es la virtud que deben tener aquellos emprendedores que eligen una estrategia de fidelización de clientes a través de las redes sociales, para ver el retorno sobre la inversión. Al fin y al cabo, las redes sociales no son más que nada Relaciones Públicas online y, como pasa con las estrategias de las Relaciones Públicas tradicionales, el retorno sobre la inversión se obtiene al largo plazo.

La mayoría de las empresas comete el error de primero meterse en las redes sociales y luego tratar de definir su estrategia. Algo así como; primero crear una página de Facebook e intentar buscar seguidores, para luego ver qué contenido subimos. Al final, lo que resulta es que, se crea la página de empresa en Facebook, se sube algún tipo de contenido inicial, pero luego no existe la disciplina de subir contenido orientado a la consecución de un objetivo. Lo cual deja muy mal parada la imagen de la empresa.

Antes de crear cualquier cuenta en una red social tenemos que tener claro cuál es el objetivo a alcanzar. A veces no se tiene claro qué cosas se pueden explotar a través de las redes sociales; en ese caso podemos hacer uso del *benchmarking* e investigar qué están haciendo exitosamente otras empresas de nuestro sector, en las redes sociales.

A continuación listamos unos breves ejemplos donde aplicar correctamente un plan de marketing en redes sociales:

Supongamos que tenemos una web de comercio electrónico y deseamos mejorar la gestión de atención al cliente. Una red social como Twitter puede ser utilizada como medio para responder dudas a los clientes. Normalmente las preguntas de los clientes o potenciales clientes se hacen a través de un correo electrónico. La respuesta diligente que puede dar la empresa solo es vista por el usuario que ha hecho la pregunta. Con Twitter se puede contestar rápidamente a las quejas o preguntas de los clientes y dichas respuestas pueden ser vistas por otros usuarios seguidores de la cuenta de Twitter de la empresa. De esta forma la empresa comunica de una manera muy notoria su amplia disponibilidad de resolver percances a los clientes cuando realizan una compra online. Un cliente satisfecho en Twitter, al que se le ha resuelto un problema o incidencia, puede convertirse en generador de imagen positiva frente a otros usuarios.

Otro ejemplo, supongamos que tenemos un portal de venta de juguetes online para bebés y que necesitamos más imágenes de los productos que vende la empresa para insertar en la web para mejorar la persuabilidad del sitio web. La empresa puede pensar en la estrategia de crear un concurso donde los antiguos clientes pueden enviar una foto de sus hijos jugando con algún juguete comprado en la empresa. De esta forma se consigue material de calidad y a coste casi cero. La red social de Facebook podría ser la plataforma idónea para crear y coordinar el concurso. Las funcionalidades que posee Facebook hacen muy cómoda la subida y valoración de las imágenes por parte de los clientes.

El Community Manager: el gestor de las redes sociales de la empresa

Las redes sociales han desarrollado un nuevo puesto de trabajo en las organizaciones: El Community Manager, una persona encargada de representar la voz de la empresa en las conversaciones que se realizan en los medios sociales. El Community manager es aquella persona o empresa encargada de; crear, cuidar y mantener las comunidades online o redes sociales de seguidores de una marca o empresa.

Para la empresa que subestima las redes sociales, el Community Manager será un becario que se limitará a crear y mantener una página de fans en Facebook así como una cuenta en Twitter. Para la empresa que mira más allá, el Community Manager es un profesional que domina el protocolo web 2.0, conoce muy bien los productos y la filosofía de la empresa, teniendo una pasión tan fuerte por su labor que la transmite en cada mensaje que publica a su comunidad. Un Community Manager se forma con la experiencia en su trabajo y la apuesta de un emprendedor por un Community Manager, debe ser estratégica.

El Community Manager puede ser un empleado de la empresa, una persona subcontratada externamente, una empresa especializada la gestión del Community Manager, o el mismo emprendedor que quiere trasmitir su filosofía en las redes sociales.

La desventaja de ser tu propio Community Manager, es la escasa experiencia en el Social Media, lo que dificulta la adopción de estrategias basadas en casos de éxitos probados, aunque la principal ventaja es, que nadie más que el propio emprendedor, con la motivación y el conocimiento del propio negocio, para trasmitir el entusiasmo y pasión por los productos y servicios que vende.

Al contratar a un profesional o empresa especializada en Social Media, se puede beneficiar de su amplia experiencia, pero se tiene la desventaja que una empresa externa no puede conocer a plenitud el producto, e incluso puede llegar a comunicar cosas que no son correctas.

CONCLUSIÓN: TODO LISTO PARA PROMOCIONARNOS EN LA WEB

Internet es un canal muy efectivo para dar a conocer nuestro producto o servicio. Hemos visto distintas herramientas enfocadas en atraer y fidelizar clientes. Las empresas deben probar varias de estas herramientas y quedarse con la mezcla que les produce la mayor rentabilidad. No hay reglas de oro aplicables a todos los sectores. Solo el "ensayo y error" de estas herramientas, irá dando buenos resultados. En el marketing en internet, casi todo se puede medir, y lo que se puede medir, se puede mejorar. Por eso Internet se está convirtiendo en la principal arma de las Pymes para promocionarse.

11. Emprender en Internet

El 10 de marzo de 2000 el Nasdaq, el índice donde cotizan las principales empresas tecnológicas, marcó un máximo de 5.048 puntos. Apenas dos años después -el 9 de octubre de 2002- marcó un mínimo en 1.114 puntos. Por el camino se habían esfumado cinco billones de dólares. Actualmente, el Nasdaq ronda los 2.800 puntos. Las quiebras se multiplicaron y las empresas que sobrevivieron como Yahoo!, Amazon o eBay, nunca volvieron a alcanzar el valor de entonces.

Después de esta trágica historia, Internet ha evolucionado de una forma más razonada. Se aprendió mucho de esa burbuja que estalló en el año 2000 y hoy, 12 años después estamos ante un nuevo escenario. Internet ya no es la bomba, pero sí un canal con muchas posibilidades de obtener rentabilidad. Internet es el medio donde las empresas están apostando para crear un nuevo negocio o un nuevo canal de promoción para su negocio actual. Muchos expertos en negocios en Internet están coincidiendo en que estamos en una época de muchas oportunidades para invertir en Internet.

Por otro lado, tenemos que la actual crisis económica en España, está obligando a muchos a convertirse en sus propios jefes, a hacerse emprendedores. Internet aparece en la agenda de estos nuevos emprendedores como un medio a tomar en cuenta, indagar; es allí donde se pueden hacer las primeras pruebas para invertir tiempo y dinero.

Existen buenas oportunidades para montar un negocio en internet. En este capítulo repasaremos los puntos principales que hay que saber para llevar a cabo un negocio en la Web.

OPORTUNIDADES DE NEGOCIOS EN INTERNET

Internet está gozando en los últimos años de una muy buena salud, reflejada en una favorable evolución de sus principales indicadores. El último estudio de Infoadex, sobre la inversión publicitaria en España, nos muestra que desde el año 2006 la publicidad digital aumenta cada año. Se ha pasado de una participación porcentual del 4 por 100 en el año 2006 a un 16 por 100 en el año 2011. Esto implica un crecimiento de más del 190 por 100. Dicho crecimiento se ha registrado en valores absolutos en una inversión publicitaria que ha pasado de 310 millones de euros en el año 2006, a una inversión de 899 millones de euros para el año 2011. Si vemos el comportamiento de otros medios, observamos por ejemplo, que la inversión publicitaria en diarios y revistas bajó de forma significativa. En resumidas cuentas, los anunciantes han dejado de invertir en diarios y revistas destinando más recursos a la publicidad por Internet. Los presupuestos de promoción y publicidad de los anunciantes se han achicado en los últimos años, producto de la crisis económica, pero ese achique no ha perjudicado a la publicidad en Internet. Se han quitado recursos de otros medios para sumarlos al marketing *online* y allí obviamente tenemos una oportunidad que aprovechar.

Inversión Real Estimada en Publicidad por medios convencionales (en millones de euros)

	2011	2010	2009	2008	2007	2006	Variación 2006-2011
Cine	26	24	15	21	38	41	-37%
Diarios	967	1124	1174	1508	1895	1791	-46%
Dominicales	67	72	69	104	134	123	-46%
Exterior	402	420	401	518	568	529	-24%
Internet	899	798	654	610	482	310	190%
Radio	524	549	537	641	678	637	-18%
Revistas	381	398	402	617	722	688	-45%
Televisión	2237	2472	2378	3082	3469	3188	-30%

Figura 11.1. Estudio sobre la evolución de la publicidad en España para medios convencionales hasta el año 2011 según InfoAdex.

Otro indicador de la buena evolución del mercado *online*, son las cifras globales de comercio electrónico en España. En los últimos años estamos siendo testigos de aumentos constantes, tanto del número de empresas que venden *online*, como de internautas que compran por Internet. En el último estudio de Comercio Electrónico B2C; de www.red.es, se evidencia un claro crecimiento del número de compradores *online* y del valor de las compras. En efecto, se pasó de unos ingresos de 5.911 millones para el año 2007 a un valor de ingresos de 9.114 para el año 2010. Prácticamente se ha duplicado los ingresos en tan solo 3 años.

¿Dónde se ven las oportunidades de un negocio en Internet?

Internet no es estático, se mueve a una velocidad muy rápida y en varias direcciones o tendencias. Pasemos a analizar aquellas tendencias en las que tenemos que fijarnos a la hora de pensar en nuestra futura idea de negocio en Internet. Montar un negocio que siga la corriente de las principales direcciones nos puede facilitar el camino a la rentabilidad.

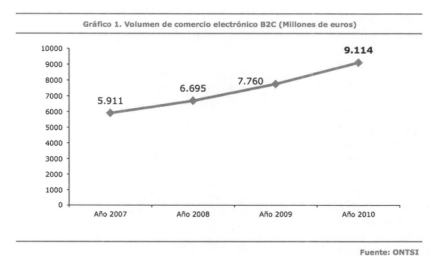

Figura 11.2. Estudio sobre la evolución del comercio electrónico en España para el año 2011 según red.es.

Tendencias de reducción de los costes

▶ **Costes cada vez más bajos:** Los costes para montar un negocio Web han experimentado una reducción importante en los últimos años. La inversión inicial para montar una empresa se ha hecho cada vez más asumible para un nuevo inversor. Los costes de alojamiento web, diseño, desarrollo de una web, y creación de contenidos han venido evolucionando hacia la baja. Cada vez es más barato montar un sitio Web.

▶ **Pocas Barreras de entrada en Internet:** En los negocios en Internet la entrada de nuevos competidores son relativamente bajas. Eso puede ser bueno o malo dependiendo de nuestro papel en un negocio *online*. Si somos una empresa ya establecida, el hecho de que las barreras de entrada sean bajas es una amenaza importante que debemos considerar. Como empresa ya establecida lo que menos queremos son nuevos competidores que nos quiten cuota de mercado. Por el contrario, si somos una empresa nueva que desea incursionar en un mercado con cierta competencia, el hecho de que las barreras sean bajas es un incentivo para entrar con fuerza a competir. Y es así, muchos mercados en Internet a pesar de tener una fuerte competencia, son mercados donde se puede entrar con cierta facilidad y ganar poco a poco cuota de mercado.

▶ **Internet es sinónimo de negocios escalables:** Internet ofrece el ecosistema perfecto para crear negocios tremendamente escalables y en consecuencia muy rentables. Internet nos da la oportunidad de que a medida que aumentan los ingresos de nuestra empresa, los costes se mantengan igual o aumenten muy poco. Por ejemplo, si creamos un juego *online* y lo vendemos por Internet; los costes asociados a este juego son los de la fabricación, distribución y la promoción publicitaria del mismo. El coste de fabricación es fijo; independientemente del número de ventas del juego. Los costes de distribución son 0 ya que es un producto digital y por último, los costes de promoción se van reduciendo a medida que el juego se va haciendo más conocido, basado en las recomendaciones que hacen unos usuarios a otros. En este sentido, con una estructura de costes fijos, a medida que vendemos más, el margen de ganancia se hace mayor. El negocio es escalable, esto significa que una vez superado el punto de equilibrio, todo es ganancia y no hay limitaciones en la producción al momento de satisfacer la demanda.

▶ *Long tail* **o Cola Larga, donde la oportunidad está en los nichos**: Según la teoría del *long tail*, en algunos sectores el 50 por 100 de las ventas se originan a partir de productos no tan populares o productos especializados. Estos productos son los que se conocen como los productos que se encuentran al final de la cola o productos del *Long Tail*. Internet ha permitido que muchas empresas aprovechen los beneficios del *Long Tail*. Por ejemplo, en lugar de montar una tienda *online* de artículos deportivos, tal vez sería más rentable una tienda *online* más segmentada, por ejemplo, una tienda de accesorios para pádel. Es un nicho más pequeño pero también menos competitivo. Es más fácil ser el líder en venta *online* de productos de pádel, que ser el número 1 en accesorios deportivos en general.

▶ **La Web 2.0 y sus grandes oportunidades:** La Web 2.0 ha originado la democratización de los medios, haciendo que cualquiera tenga las mismas posibilidades de publicar noticias que un periódico tradicional. Grupos de personas crean blogs que al día de hoy reciben más visitas que las versiones *online* de muchos periódicos. La Web 2.0 ha reducido considerablemente los costes de difusión de la información. En la actualidad podemos tener gratuitamente nuestra propia emisora de radio *online*, nuestro periódico *online*, nuestro canal de vídeos, etc. Al aumentar la producción de información, aumenta también la segmentación de la misma, lo que equivale a que los usuarios puedan acceder a contenidos que tradicionalmente no se publican en los medios convencionales.

Acoplándonos a la corriente de los negocios en Internet

Antes de identificar una idea, tenemos que tener claro en el escenario en el que estamos jugando y conocer las particularidades y tendencias del mercado en Internet, las cuales nos dicen hacia dónde van los tiros y dónde hay más probabilidades de conseguir oportunidades para que nuestra idea sea lo más factible posible. Conocidas estas principales corrientes Web, tendremos una mejor perspectiva para investigar e identificar una buena idea de negocio en Internet.

MODELOS DE NEGOCIO EN INTERNET

Un modelo de negocio es y la configuración bajo la cual un negocio se desarrolla, con el fin de generar ingresos y beneficios. Es la forma o manera de como una empresa planifica servir a sus clientes. Implica tanto el concepto de estrategia, como el de implementación.

Comprende el conjunto de las siguientes cuestiones:

- ▶ Cómo se generan los clientes y los ingresos
- ▶ Cuáles y cómo son los costes fijos y variables.
- ▶ Cómo se consiguen los beneficios.
- ▶ Cómo se vende el producto o servicio.
- ▶ Cómo se fidelizan a los clientes.
- ▶ Cómo define las tareas que deben llevarse a cabo.
- ▶ Cómo se configuran los recursos.

Modelos de Negocio en Internet

Existen diversos modelos de negocio en Internet. Conocer las características de cada uno de ellos, sus virtudes y sus puntos débiles, nos ayudará a decidirnos por uno o por otro, en la creación y definición de nuestro proyecto.

Veamos pues, los principales modelos en los cuales podemos apostar para nuestro negocio en Internet.

Modelo de Ingresos por Publicidad

El modelo de ingresos por publicidad en Internet es una extensión del negocio tradicional de publicidad. En este modelo tenemos a un portal Web que provee de contenido o servicios (usualmente gratis), lo cual genera, con el paso del tiempo, un aumento de visitas a su Web. Estos portales Web venden espacios publicitarios, que insertan en sus páginas, a través de varios formatos tales como; banners y anuncios de pago o patrocinios. A mayor volumen de visitas del portal, mayor posibilidad de generar más ingresos por publicidad.

Veamos un ejemplo: Supongamos que creamos un blog sobre pesca. Ese blog lo vamos a engordar con contenidos, es decir, lo vamos a llenar con buenos artículos sobre el tema. Poco a poco este blog, va a ir creciendo en visitas relacionadas con usuarios interesados en el sector de la pesca. Cuando el portal consigue unas 50 mil visitas y 150 mil páginas vistas al mes, decidimos comunicar a través del blog, que aceptamos publicidad de empresas anunciantes que deseen promocionarse a través de la Web. Al cabo de unos días, obtendremos varias solicitudes de inserción de publicidad a través de banners. El blog de pesca cede parte de su espacio en la Web para insertar dicha publicidad. Luego de insertada la publicidad, el blog de pesca comienza a obtener ingresos publicitarios.

La clave de este modelo de negocio se encuentra en la cantidad y calidad de tráfico que se consiga. A mayor número de páginas vistas de un sitio Web, más atractivo será para contratar publicidad por parte de los anunciantes. Pero no siempre es necesario alcanzar cifras de tráfico astronómicas, también se suele valorar un tráfico de calidad; menos cantidad de tráfico, pero muy segmentado en una temática. Para una empresa que vende productos de pesca, es mejor anunciarse en un portal de pesca de 50 mil visitantes que un periódico *online* generalista de 200.000 visitantes. La calidad de los usuarios del portal de pesca, a pesar de tener menos tráfico, es superior que la del periódico *online*.

Modelo de Comercio Electrónico

Entendemos el Comercio Electrónico como cualquier tipo de intercambio financiero realizado a distancia y por medios electrónicos, siendo Internet el medio ideal para realizar este tipo de negocios. El principal beneficio que puede obtenerse en los mismos, es la relación directa entre fabricante y cliente, sin necesidad de intermediarios, lo que en teoría debería rebajar el precio del producto. El Comercio Electrónico es un modelo que puede funcionar muy bien en países donde la población está acostumbrada a la compra por catálogo. En España, su evolución ha sido lenta pero positiva, y es allí donde existe la gran oportunidad; salir de compras a través del ordenador va consolidándose como una realidad, pero todavía le queda mucho recorrido. Existen mercados donde, a pesar de haber varias tiendas *online*, ninguna es lo bastante buena como para convertirse en líder. Existen nichos de mercado donde con una buena apuesta de tienda *online,* podemos obtener un alto y constante crecimiento.

Factores clave del éxito de una tienda online

► **Maximizar márgenes de ganancia reduciendo costes:** Si podemos eliminar el coste de almacén propio y solicitar al proveedor el envío directo del producto desde su almacén, al domicilio del comprador, buena parte de nuestros costes fijos desaparecen. Si podemos vender un producto que no tiene coste de almacén y de distribución (*ebooks*, productos digitales, contenidos, software *online*, etc.), estamos ante el mejor escenario.

▶ **Tienda online usable, persuasiva, amigable a buscadores y sociable**: Una inversión importante es la creación del sitio Web donde vamos a desarrollar nuestra tienda *online*. Dicho *site*, debe ser tremendamente cómodo para el usuario, atractivo comercialmente para potenciar la conversión y posicionarse muy bien en los motores de búsqueda (Google, Yahoo, Bing), que serán quienes nos traigan la mayoría de visitas.

▶ **Excelente relación con proveedores**: Desde el vaciado de datos del catálogo del proveedor dentro de nuestra Web, hasta las condiciones de compra, debemos optimizar la relación con este importante *partner*.

▶ **Marketing y Promoción de la tienda *online***: Un buen plan de marketing, donde se prueben las diferentes herramientas de atracción, conversión y fidelización de usuarios, será el mejor aliado para obtener rentabilidad. Existen muchas herramientas de marketing para tiendas *online*, pero solo la adecuada combinación de algunas de ellas, nos dará óptimos resultados en términos rentables.

▶ **Catálogo de Productos y Servicios competitivos**: No necesariamente tenemos que ser los más baratos del mercado. Si bien es cierto que el precio es una variable muy importante en la toma de decisiones de compras *online*, la verdad es que, no es la única variable. Un surtido amplio de productos, o el hecho de tener a disposición del usuario un grupo de productos de nicho que no va a conseguir en la tienda de la esquina, es una ventaja competitiva que juega a favor de la presencia *online*.

▶ **Medios de Pago**: Adaptarse a las principales formas de pago y comunicar eficientemente la seguridad del mismo, son requisitos indispensables para competir en este modelo de negocio.

▶ **Atención al cliente**: La mitad de las ventas de una tienda *online* se pierden por una pésima gestión de la atención al cliente. Hacer un esfuerzo en tener un servicio de calidad postventa, es una inversión que repercutirá con creces en nuestros beneficios.

▶ **Sistema de Logística eficiente**: El usuario comprador por Internet valora muchísimo el envío del producto que ha comprado a través de la Web. Se valora la rapidez y el envío seguro. Tener un sistema de logística competitivo es un factor diferencial en este modelo de negocio.

Modelo de Afiliados

Este es un modelo que puede funcionar bastante bien y que, injustamente, es de los menos conocidos. Algunos emprendedores utilizan sistemas de afiliación Web; como una de sus principales fuentes de ingresos. En los sistemas de marketing de afiliados, los anunciantes pagan una comisión a los revendedores afiliados que alcancen determinados objetivos tales como: visitas, contactos cualificados o ventas.

Supongamos que tenemos un blog sobre turismo y dicho portal posee un nivel importante de tráfico Web. Podemos contactar con el portal de un hotel que tenga un programa de afiliados y negociar una comisión por cada reserva que le consigamos a través de nuestro blog. Nuestra labor será poner un banner o formulario en nuestra página Web que, enlazará con la Web del hotel en cuestión. Cada vez que un usuario de nuestro blog de turismo haga clic en el banner promocional del hotel, aterrizará en la página de reserva de dicho anunciante y por cada reserva confirmada que se realice, gracias a nuestro blog, recibiremos una cantidad de dinero (suele ser un valor unitario único o un porcentaje de comisión sobre el precio de venta de la reserva).

Los tipos de sistemas de afiliados se basan en tres modalidades que son: ingresos por visita, ingresos por *lead* e ingresos por venta.

Las visitas tienen que ver con el tráfico que llega desde el sitio Web del afiliado a la página Web de la empresa. El *lead* tiene que ver con las visitas que le llegan a la empresa y que ejecutan una acción puntual; como puede ser el relleno de un formulario, la suscripción a un boletín, la solicitud de un presupuesto, etc. Y finalmente la venta tiene que ver con la adquisición del producto o servicio final de la empresa. Obviamente el pago al afiliado va en proporción con la dificultad de la modalidad ofertada; es mayor para las ventas, un poco más bajo para el *lead* y mucho menor para las visitas.

Modelos de Suscripción

Un modelo de negocio en Internet muy interesante y que en los últimos años ha reflejado muchos casos de éxito: Este modelo se basa en el pago por uso de un servicio. El usuario que se suscribe a la Web paga una cantidad periódica (cuotas mensuales, anuales o única) por el uso del servicio ofertado. Obviamente el servicio ofertado debe contener un gran valor añadido para que un amplio grupo de usuarios decida pagar por él.

Los productos y servicios más ofertados dentro del modelo de suscripción suelen ser software o programas de gestión, licencias, contenidos de pago, libros electrónicos, contenidos digitales (música, vídeo, etc.), formación *online*, consultoría *online*, etc.

Este modelo obliga a realizar una gran inversión al inicio para crear el producto de valor añadido y luego promocionarlo a gran escala. Con seguridad las primeras semanas y meses el negocio no será rentable pero una vez llegado al punto de equilibrio, las ganancias irán creciendo de forma escalable. Mientras mayor sea el número de visitas que lleguen a la Web, mayor será el número de suscriptores de pago. El truco de este modelo radica en que el aumento de suscriptores debe influir muy poco en los costes totales de la empresa.

Uno de los proyectos Web más conocidos que desarrolla el modelo de suscripción es: `www.spotify.com`. Este portal de música por *streaming*, ofrece suscripción gratuita a un porcentaje muy alto de miembros. Estos usuarios pueden escuchar la música a través de Internet, pero con algunas restricciones, por ejemplo; los usuarios *free* reciben mensajes de publicidad cada cierto tiempo. Los usuarios *premium, en cambio,* adquieren una suscripción de pago, donde pueden escuchar la música que deseen sin limitaciones ni interrupciones publicitarias. En teoría ese pequeño porcentaje de suscriptores de pago cubre los costes de los usuarios gratuitos. Adicionalmente, este modelo *freemiun*, no excluye los ingresos publicitarios; "Spotify" y recibe ingresos por publicidad por parte de los anunciantes que les interesa promocionar su marca a la mayoría de usuarios gratuitos.

Modelo de Marca Personal

Según Andrés Pérez Ortega, experto en "marca personal", desarrollar una marca personal consiste "en identificar y comunicar las características que nos hacen sobresalir, ser relevantes, diferentes y visibles en un entorno homogéneo, competitivo y cambiante".

Gracias a Internet, en especial gracias a los blogs y a las diferentes redes sociales, estamos presenciando como una nueva ola de profesionales y expertos en diversos sectores, utilizan al máximo estas herramientas del marketing *online* para promocionar su marca personal, haciéndose un nombre reconocido dentro del sector en el que se desenvuelven laboralmente. Nos encontramos actualmente en un mercado laboral competitivo, saturado y en el que muchos profesionales son homogéneos. Una Marca Personal puede ser la solución que nos hará sobresalir como profesionales independientes o como representantes de la marca de nuestra empresa.

En este modelo de negocio *online*, a diferencia de los anteriores, los ingresos no vienen directamente a través de la Web. Este modelo utiliza Internet para la autopromoción personal; tal y como lo haría una empresa que desea potenciar su marca a través de Internet.

Supongamos que nos dedicamos al mundo del *fitness* y tenemos un gimnasio, tal vez nos interese posicionarnos como un gran entrenador personal, con el que un considerable número de personas esté ansiosa por entrenar. En lugar de crear un sitio Web corporativo enfocado comercialmente a promover el gimnasio, podemos crear una marca personal a través de varias herramientas del marketing *online*, que nos posicione como un experto reconocido en el área y así atraer más clientes al gimnasio.

CÓMO MONTAR UN NEGOCIO EN INTERNET

Siempre se pregunta si el emprendedor nace o se hace. Unos opinan lo primero y otros lo segundo. Lo que sí es seguro que debe de reunir ciertos requisitos a la hora de comenzar su aventura emprendedora. Dichos requisitos pueden venir con la persona o pueden ser aprendidos. Detallemos algunos de ellos:

- ▶ **Disfrutar**: Muchos recomiendan comenzar un proyecto Web en alguna temática que nos guste y que controlemos bien. Si uno no se lo va a pasar bien en un proyecto que requerirá mucho tiempo, poco a poco iremos perdiendo el ánimo y la perseverancia. Nos tenemos que divertir en nuestro trabajo y en este caso, nuestro trabajo es nuestro proyecto emprendedor.

- ▶ **Optimismo y perseverancia:** Las oportunidades las descubren y crean quienes son optimistas. Tenemos que ser de esas personas que ven el vaso medio lleno. Se nota fácilmente cuando un emprendedor está vendiendo su idea si es optimista y eso se contagia.

- ▶ **Arriesgar:** A mayor riesgo mayor retorno a la inversión. Internet no es gratis. Internet requiere menos inversión que otros negocios tradicionales, pero no es gratis. Eso de montar una Web a precio 0 y ser rentable es un mito. La inversión puede ser de dinero o tiempo, pero los dos siguen siendo activos que tienen un coste.

- ▶ **Tiempo:** Internet nos invade con noticias, artículos de tendencias, datos, etc. Muchas oportunidades están camufladas entre tanta información. Hay que saber leer entre líneas. Dedicarle el suficiente tiempo para investigar eso que nos huele a buena idea. Una oportunidad se descubre después de haber investigado varias pistas que hemos encontrado en el camino.

► **Rodearse bien:** Muchos emprendedores se frenan cuando quieren montar un negocio en Internet, porque piensan que tienen que tener los mismos conocimientos que un informático o un programador Web. Si es verdad que conocer el día a día de las aplicaciones Web es un activo importante, no es obligatorio. Existen muchos casos de éxito de expertos en un determinado sector que lo que hacen es contratar o asociarse con buenos profesionales del área de Internet. Por ejemplo si queremos montar una tienda *online* de jamones ibéricos, no es obligatorio saber de programación Web de tiendas *online*. Podemos asociarnos con un experto en el área de comercio electrónico y que él nos guíe. Nosotros por nuestra parte si somos expertos en este sector podemos aportar el conocimiento del negocio, los contactos con buenos proveedores, la atención al cliente, etc. De esa unión de conocimientos técnicos y comerciales pueden salir buenos negocios en la red.

El éxito en Internet se consigue probando modelos de negocio y herramientas. Internet es el medio donde probar cosas sale más barato, en comparación con el marketing tradicional. Aprovechemos esa ventaja para ir haciendo nuestras pruebas de ensayo y error e ir puliendo nuestro negocio en Internet.

Pasos a seguir para montar un negocio en Internet

A continuación veamos, las etapas necesarias para llevar a la práctica un negocio en Internet:

► **Definición de la Idea de Negocio y su modelo**: Encuadrar la idea de negocio que tenemos dentro de los modelos de negocios en Internet. Definir exactamente de donde van a provenir los ingresos.

► **Analizar oportunidades de negocio y análisis del mercado**: Investigar nichos de mercado que no están siendo bien cubiertos por la competencia. Nichos de mercado atractivos. Ver que tipo de producto o servicio se demanda cada vez más en Internet. Investigar qué cosas han funcionado en otros países y que se puede aplicar en el nuestro. También, dedicarle un buen tiempo a conocer la competencia.

► **Creación del Plan de Negocio**: Consiste en la creación de un documento guía que nos diga cuáles van a ser los ingresos y costes estimados del proyecto Web y, en consecuencia, cuánto será el retorno sobre la inversión. Los números se tienen que sacar antes de montar la Web y no después.

▶ **Desarrollo del sitio Web:** Consiste en el diseño y programación de nuestro sitio Web, producto de la idea de Web que mejor se adapta a nuestras necesidades y recursos. En este aspecto tenemos que buscarnos un buen proveedor que nos construya una Web profesional y que cumpla con los objetivos.

▶ **Plan de Marketing:** Consiste en la promoción del sitio Web para obtener visitas, convertirlas en clientes y fidelizarlos. En esta etapa, se analiza y se prueban las distintas herramientas del marketing *online,* para identificar la mezcla que mejor se adapta a la consecución de objetivos.

▶ **Medición de resultados:** Como último paso, debemos medir los resultados conseguidos. Eso se logra a través del análisis de las estadísticas de la Web, debidamente instaladas a través de un programa de analítica Web. La medición de resultados es la brújula del proyecto y nos va a decir dónde hacer las correcciones para lograr mejores resultados. Hay que aprovechar que en Internet, se puede medir más cosas y con mejor detalle que en otros medios convencionales.

Con esto finalizamos el capítulo donde hemos dado un repaso a las variables a tomar en cuenta a la hora de crear un negocio rentable en Internet. La Web es una tierra de oportunidades, que hay que saber aprovechar.

Glosario

LETRA A

Acceso Directo

Modo rápido de acceder a cualquier programa, documento o impresora del sistema. Es posible crear accesos directos tanto sobre el Escritorio como en Carpetas. Por ejemplo, para crear un acceso directo a una impresora sobre el Escritorio, basta con arrastrar el icono de la misma para colocarlo sobre el Escritorio.

Adaptador de red

Es el dispositivo que, instalado en una ranura de expansión de la placa base, conecta físicamente el ordenador con la red.

ADSL

Sistema de trasmisión digital sobre hilo de cobre o fibra óptica, que por sus características puede alcanzar velocidades muy superiores a las actuales, gracias al aumento y división del ancho de banda.

Android

Sistema operativo basado en Linux, que junto con muchas aplicaciones está enfocado para ser utilizado en dispositivos móviles como teléfonos inteligentes, tabletas, Google TV y otros dispositivos.

Antivirus

Programa cuya finalidad es prevenir los virus informáticos, así como curar los ya existentes en el sistema. Estos programas deben actualizarse periódicamente.

Apple Inc.

Es una empresa multinacional estadounidense con sede en Cupertino, California, que diseña y produce equipos electrónicos y software. Entre sus productos más conocidos están el iPod, el iPhone y el iPad. Por el lado del software la empresa fabrica el sistema operativo Mac OS X, el sistema operativo iOS, el explorador de contenido multimedia iTunes, la suite iLife, para la generación de contenido multimedia, la suite iWork, software de productividad, Final Cut Studio, una suite de edición de vídeo profesional, Logic Studio, software para edición de audio en pistas de audio, Xsan, software para el intercambio de datos entre servidores, Aperture, software para editar imágenes RAW y el navegador Web Safari.

Aplicación

Cada uno de los programas que, una vez ejecutados, permiten trabajar con el ordenador. Son aplicaciones los procesadores de textos, hojas de cálculo, bases de datos, programas de dibujo, paquetes estadísticos, etc.

Archivo

Datos estructurados que pueden recuperarse fácilmente y usarse en una aplicación determinada. Se utiliza como sinónimo de fichero. El archivo no contiene elementos de la aplicación que lo crea, sólo los datos o información con los que trabaja el usuario.

Asistente

Cuadro de diálogo, el cual guía paso a paso, por ejemplo para instalar programas o cualquier otra tarea.

Ayuda

En la mayoría de las aplicaciones existentes al presionarse las teclas **Esc** o **Fl** se accede a la información sobre el programa en cuestión y cómo manejarlo, que se denominan genéricamente ayuda, Suelen ser un resumen de las instrucciones recogidas en los manuales que se adjuntan con todo programa.

LETRA B

Banners

Formato publicitario en Internet que consta de una pieza de forma rectangular o cuadrada que se inserta en una Web y donde el usuario puede hacer clic. Herramienta utilizada por los anunciantes para argumentar su posicionamiento de marca y para obtener más visites a sus sitios Web.

Barra desplazamiento

Área especial de la pantalla que permite moverse de forma rápida por el documento abierto, visualizándose las zonas que están fuera de la vista.

Base de Datos

Conjunto de datos relacionados que se almacenan para acceder a ellos de manera sencilla, con la posibilidad de relacionarlos, ordenarlos en base a diferentes criterios, etc. El programa más difundido es Microsoft Access.

Bing

Motor de búsqueda de la empresa Microsoft. Fue puesto en línea el 3 de junio de 2009.

BIOS

Pequeño programa que coordina las actividades de los distintos componentes de un ordenador y comprueba su estado.

Blog

Es un espacio personal de escritura en Internet. Puedes utilizarlo como un diario online, o un site en el cual una se puede usar para escribir periódicamente, en el que toda la escritura y el estilo se maneja vía Web

Buscador

Son aquellos que están diseñados para encontrar otros sitios o páginas Web. Algunos ejemplos de buscadores son Google, Yahoo, etc.

Byte

Ocho bits que representan un carácter. Unidad básica de información con la que operan los ordenadores.

LETRA C

Caché

Es una de las memorias del ordenador, muy rápida, que contiene las operaciones más frecuentes o las últimas realizadas con lo que aumenta considerablemente la velocidad de los procesos al evitar en muchos casos el acceso a memorias más lentas.

Cámara digital

Cámara de fotos que graba imágenes en forma digital. La cámara digital descompone la imagen de la figura en un número fijo de pixeles, verifica la intensidad de luz de cada pixel y la convierte en un número.

CD-ROM (Compact Disc-Read Only Memory)

CD de sólo lectura. Es uno de los soportes de almacenamiento y distribución de datos más popular, en sus dos formatos: 74 y 80 minutos con capacidad para 700 y 650 Mb. respectivamente.

Celda

En las aplicaciones de hojas de cálculo, una celda es cada intersección entre una fila y una columna determinada, que puede contener datos, fórmulas matemáticas, etc.

Chipset

Es el juego de chips que componen la placa base. Ese conjunto de chips son los que se encargan de algunas de las funciones de importancia, como pueden ser manejo de memoria, de buses o de puertos y ranuras.

Ciberespacio

Para referirse coloquialmente a moverse por Internet. Se suele denominar navegar por el ciberespacio el recorrer las redes de comunicación.

Clave de Acceso

Una clave de acceso es una combinación de letras, números y signos que debe teclearse para obtener acceso a un programa o partes de un programa determinado, un terminal u ordenador personal, un punto en la red, etc. Muchas veces se utiliza el término en inglés password para referirse a la clave de acceso.

Cliente/Servidor

Se le suele llamar así a la arquitectura a dos capas, es decir, una capa servidor, u ordenador que contendrá los datos y los programas gestores asociados, y capas clientes, u ordenadores que se dirigiran al anterior para obtener la información.

Código

Se refiere a las instrucciones contenidas en un programa, y entendibles por el ordenador. Las aplicaciones pueden tener miles de líneas de código que es necesario mantener y actualizar.

Columna

En una tabla o fichero de base de datos, una columna es lo que anteriormente se denominaba como campo. Las columnas de la tabla indican los datos que se van a introducir en la tabla, el tipo y restricciones sobre ellos, conformando así la estructura de la tabla. Las filas serán las entradas reales de datos.

Comando

Orden dada al ordenador para que realice una acción determinada.

Comercio electrónico

Es la venta de productos a través de Internet, con sitios especiales que se consideran seguros para hacer los pagos.

Comprimir

Cuando una aplicación o un conjunto de datos son demasiado grandes, existe la posibilidad de reducir su tamaño mediante técnicas de compresión, lo que facilita su archivo y su manejo.

Los programas comprimidos no pueden ser ejecutados directamente, sino que necesitan descomprimirse previamente con la utilidad empleada inicialmente.

Comunidad virtual

Es aquella que ha tomado contacto por medio de la Red, de las múltiples formas que existen: listas, foros, chats, etc. y sus miembros, por tener vinculaciones o intereses comunes, utilizan Internet como medio aglutinador y de comunicación.

Conectividad

Capacidad de dos o más elementos de hardware o software para trabajar conjuntamente y transmitirse datos e información en un entorno informático heterogéneo.

Conector

Enchufe que facilita la unión mecánica entre dos dispositivos y, a la vez, la comunicación de datos entre ambos o el intercambio de corriente. Por extensión, se entiende por conector el terminal de un sistema al que se conectan determinados periféricos.

Consulta

Interrogación realizada a una base de datos, en la que se requiere una información o informaciones concretas en función de unos criterios de búsqueda definidos.

CPU

Conocida como Unidad Central de Proceso o procesador, es el "cerebro" del ordenador y se encuentra encajado en la Placa Base. Es una de las partes fundamentales del PC y, junto con los chips de apoyo, es el responsable de realizar las operaciones de cálculo que le solicitan los programas y el sistema operativo. También se le denomina Microprocesador.

LETRA D

Descargar

Copiar a través de una red (Internet, BBS, etc.) un elemento que se encuentra ubicado físicamente en otro ordenador, un fichero, un programa, un documento, etc, al disco duro.

Desinstalar

Eliminar hardware o software de un sistema informático.

Muchas aplicaciones vienen con su propia utilidad "desinstalar", cuando no, puede emplearse un programa genérico para desinstalarlas.

Dirección IP (Dirección de protocolo de Internet)

La forma estándar de identificar un equipo que está conectado a Internet . Consta de cuatro números separados por puntos y cada numero es menor de 256; por ejemplo 192.200.44.69. El administrador del servidor Web o su proveedor de servicios de Internet asignará una dirección IP al equipo.

Directorio raíz

Directorio principal de un disco, en el que se almacenan el resto de subdirectorios y archivos concretos como el autoexec.bat y el config.sys. En el entorno Windows, los términos directorio y subdirectorio son sustituidos por los de carpeta y subcarpeta.

Directorios Web

Portales donde se muestran listados de empresas con página Web y que son clasificados por sector o tipo de actividad. Es una fuente más para encontrar información de empresas en la red.

Disco Duro

Unidad de almacenamiento principal del ordenador, donde se almacena una gran cantidad de datos y programas. Tiene mucha capacidad de almacenamiento. Es la unidad más rápida tanto para acceder a los datos como para guardarlos. Lo normal es que sea fijo e interno, aunque también los hay extraíbles y externos. Un ordenador puede disponer de varios discos duros. La información que almacena no puede ser procesada directamente por el microprocesador sino que, en un paso previo, deben transferirse a la memoria RAM para que pueda manejarla.

Dominio

Hay dos formas de incluir una dirección de páginas Web en Internet, la utilización de espacios generalmente gratuitos y que "cuelgan" de una empresa de suministros o el alta de una propia. Tanto la suministradora de servicios en su momento como el registro de una dirección propia lo que hacen es registrar un dominio, o un nombre registrador en un ordenador al efecto y que asigna un IP propio.

DOS (Disk Operating System)

Programa que controla el funcionamiento del ordenador. Es el sistema operativo utilizado en la mayoría de los ordenadores personales (PCs) existentes. Aunque existen diferentes versiones del DOS, la más conocida es la desarrollada por la compañía Microsoft, denominada MS-DOS. El nombre de Sistema Operativo de Disco procede de que, en su mayor parte, el DOS permite la gestión y administración del disco duro y los disquetes.

Driver

Se utiliza para indicar los controladores de periféricos, es decir, el software que permite al Sistema Operativo reconocer y utilizar lo que tiene conectado el ordenador.

DVD (Digital Versatile Disc)

Como el CD-ROM, permite guardar gran cantidad de información en un mismo espacio. Físicamente es muy parecido a los CD-ROM, pero se diferencia de éstos en la forma de almacenar los datos. Básicamente los hay de dos clases : Los DVD-ROM de sólo lectura y los DVD Vídeo para ver películas.

LETRA E

eBook

Palabra en Inglés para definir a un libro electrónico. Es una versión electrónica o digital de un libro o un texto publicado en Internet o en otros formatos electrónicos.

E-mail

Servicio de comunicaciones que permite el intercambio y almacenamiento de mensajes. En muchos casos sustituye al sistema FTP ya que acepta el envío de ficheros, imágenes, etc. aparte del texto.

Enlace (Link)

Refiriéndonos a Internet y páginas Web es un unión entre varios documentos dentro de un mismo servidor, o con mayor frecuencia, la posibilidad de acceder mediante la pulsación de una palabra o frase, generalmente resaltada y subrayada, a otra página situada en un ordenador distinto y ubicado en cualquier lugar del mundo, ya que en el momento de la creación de ese enlace se le ha asignado la dirección o URL a la que ha de dirigirse.

Escáner

Periférico de entrada de datos (texto impreso e imágenes). Su función es capturar estos datos y transmitirlos al ordenador para su posterior manipulación. Los escaners pueden trabajar con texto impreso, fotografías y dibujos.

Escritorio

Es la superficie principal del trabajo de Windows. En ella podemos dejar todo tipo de ficheros y aplicaciones para que estén accesibles en cualquier momento. En el escritorio encontraremos iconos importantes como el de Mi PC, la papelera de reciclaje o la Bandeja de Entrada. Podemos personalizarlo con diferentes fondos o imágenes y cambiarle el color.

Excel

Hoja de cálculo de Microsoft, integrada en el paquete MS Office.

Extensión de un archivo

En general, indica de qué tipo se trata, si es un ejecutable, de Sistema, de datos, etc. aunque están relacionadas en la mayoría de los casos, con la empresa desarrolladora del software.

LETRA F

Facebook

Es una empresa creada por Mark Zuckerberg y fundada por Eduardo Saverin, Chris Hughes, Dustin Moskovitz y Mark Zuckerberg cuyo principal producto es un sitio Web de redes sociales. Originalmente era un sitio para estudiantes de la Universidad de Harvard, pero actualmente está abierto a cualquier persona que tenga una cuenta de correo electrónico. Los usuarios pueden participar en una o más redes sociales, en relación con su situación académica, su lugar de trabajo o región geográfica. Su crecimiento ha sido exponencial desde su lanzamiento y hoy es la red social más popular de la red de redes.

Favoritos

Los marcadores o favoritos son direcciones de Internet que son guardadas en nuestro navegador Web como si fueran una lista de página cuyos contenidos son interesantes para el usuario. Los navegadores almacenan los enlaces a las direcciones que se desea recordar mediante un sistema de carpetas.

Firefox

Mozilla Firefox es un navegador Web libre y de código abierto8 desarrollado para Microsoft Windows, Mac OS X y GNU/Linux coordinado por la Corporación Mozilla y la Fundación Mozilla. Es uno de los navegadores Web más utilizados por los usuarios.

Flickr

Es un sitio Web que permite almacenar, ordenar, buscar y compartir fotografías y videos en línea.

Formatear

Acción de dar formato a un disco u otro dispositivo como cintas, etc., con el fin de prepararlo para que puedan grabarse datos en él. Al formatear un disco se borran todos los datos existentes en ese momento, si los hubiera. Normalmente, los discos que no han sido utilizados nunca necesitan ser formateados, en función de su capacidad, antes de poder grabar información en ellos.

FTP (File Transfer Protocol)

Protocolo para la transferencia de ficheros. Es un sistema bajo el cual podemos subir archivos y documentos desde nuestro ordenador a un servidor para que estos estén accesibles en la Web.

LETRA G

Gmail

Servicio de correo electrónico gratuito de la empresa Google y que se encuentra como uno de los más usados en el mundo. Creado en 2004.

Google (Buscador)

Es el motor de búsqueda Web más utilizado en el mundo. Creado en 1998 por la empresa Google. Posee servicios de búsqueda Web, búsqueda de noticias, imágenes y videos.

Google Chrome

Navegador Web de la empresa Google que salió al mercado en el 2008. Es el segundo navegador Web más usado en el mundo. Posee unos 130 millones de usuarios.

Grabadora de CD

Permite tanto leer como guardar información. Si la grabadora es de DVD, podremos guardar información en discos compactos de DVD, que tienen una mayor capacidad.

LETRA H

Hardware

Se denomina así al conjunto de componentes físicos dentro de la informática (un teclado, una placa, por ej.).

Hosting

Palabra del Ingles que quiere decir dar hospedar o alojar. Aplicado a Internet, significa poner una página Web en un servidor de Internet para que esta pueda ser vista en cualquier lugar del mundo entero con acceso a Internet.

HTML

Es el lenguaje estándar para describir el contenido y la apariencia de las páginas en el WWW.

HTTP

Es el protocolo o las reglas de funcionamiento de los servidores WWW, que son los encargados de mantener este tipo de páginas.

Icono: Representación gráfica de un elemento, generalmente una opción a elegir, que sustituye o complementa al texto escrito.

Impresora: Periférico de salida, que conectado generalmente al puerto paralelo permite el paso a papel de la documentación en formato escrito o gráficos. Hoy se utilizan principalmente las de inyección y las láser.

LETRA I

Informática

Ciencia que estudia el tratamiento automático y racional de la información, a través de los ordenadores.

Instagram

Es una aplicación gratuita para iPhone o para Android que permite tomar fotografías y modificarlas con efectos especiales, para luego compartirlas en redes sociales, como Facebook.

Interactivo

Un sistema es interactivo cuando permite un diálogo continuo entre el usuario y la aplicación, respondiendo ésta a las órdenes de aquel.

Interfaz de usuario

Es la manera de funcionar el ordenador de cara al usuario, o mejor, la relación de ambos, es decir, cómo responde a los sucesos o acciones.

Internet

Vía de información, comunicación, cooperación y colaboración entre personas y grupos de todo el mundo. Se le suele llamar la gran "red de redes", ya que está formada por una gran cantidad de redes que conectan millones de ordenadores a través de la línea telefónica.

iOS

Sistema operativo de Apple, originalmente desarrollado para el iPhone.

iPad

Es una tableta multitáctil desarrollado por Apple. Fue presentado públicamente el 27 de enero de 2010 en San Francisco. Tiene una pantalla táctil, similar a un teléfono iPhone pero más grande. Tiene un grosor de 1,27 cm, pesa 680 gramos, en el caso del modelo Wi-Fi o 720 gramos, en el caso del modelo 3G. Tiene una pantalla de 24,638 cm, con resolución de 1024x768 píxeles. Consta de un procesador de 1 GHz Apple A4 y memoria flash de 16 a 64 GB. Además de Wi-Fi 802.11n, cuenta con Bluetooth 2.1 + EDR. La batería tiene una autonomía de 10 horas y 1 mes en modo stand-by.

iPhone

Es una familia de teléfonos inteligentes multimedia con conexión a Internet, pantalla táctil capacitiva y escasos botones físicos diseñado por la compañía Apple. Como no tienen un teclado físico, integran uno en la pantalla táctil con orientaciones tanto vertical como horizontal.

iPod

Es una línea de reproductores de audio digital portátiles, diseñados y comercializados por Apple. Fue presentado por primera vez el 23 de octubre de 2001.

LETRA L

LAN (Local Area Network)

Red de área local. El término LAN define la conexión física y lógica de ordenadores en un entorno generalmente de oficina. Su objetivo es compartir recursos (como acceder a una misma impresora o base de datos) y permite el intercambio de ficheros entre los ordenadores que componen la red.

Linkedin

Red Social Profesional creada en el año 20013. En Linkedin se pueden publicar información personal y profesional, y a través de dichos perfiles generar redes y contactos. En ella también se pueden publicar debates, artículos, noticias, preguntas y respuestas y grupos de interés. Cuenta con 220 millones de personas registradas en más de 220 países.

LETRA M

Memoria

Lugar donde se almacenan datos o programas mientras se están utilizando.

Memoria RAM

Es el elemento del ordenador donde se encuentran los datos mientras el usuario los está ejecutando. Cuando apagamos el ordenador la información contenida en la memoria RAM se borra; es por eso por lo que hay que guardar aquello con lo que estamos trabajando (por ejemplo, el texto que estamos escribiendo) en el disco duro justo al empezar, ya que de lo contrario, si el ordenador se apagara accidentalmente, perderíamos todo lo que hemos hecho.

Memoria ROM

Contiene la información necesaria para que el ordenador pueda reconocer todos sus periféricos y arrancar el sistema operativo. Se encuentra en la BIOS y, a diferencia de la memoria RAM, no se llena y se vacía; no se "escribe" en ella, sino que sólo se "leen" sus órdenes.

Microsoft (Microsoft Corporation, Redmond, WA)

Compañía de software más grande del mundo. Microsoft fue fundada en 1975 por Paul Allen y Bill Gates, dos estudiantes universitarios que escribieron el primer intérprete BASIC para el microprocesador

8080 de Intel. Aunque también se conoce por sus lenguajes de programación y aplicaciones para computadores personales, el éxito sobresaliente de Microsoft se debe a sus sistemas operativos DOS y Windows.

Módem

Es un dispositivo que se conecta al ordenador y que permite intercambiar datos con otros ordenadores a través de la línea telefónica.

Monitor

Permite que el usuario de un ordenador vea todo lo que va realizando; es la principal forma que tiene el ordenador de comunicarse con el usuario y es un periférico imprescindible. Las imágenes del monitor se componen de pequeños puntos llamados píxeles. Si aumenta la definición, más cercanos estarán los puntos.

Motores de Búsqueda

También se les llama buscadores de Internet. Son programas a los que se accede utilizando un navegador de Internet que permiten realizar búsquedas de palabras clave en las páginas de la red.

Multimedia

Se denomina así a los sistemas o aplicaciones que permiten la utilización de sonido e imágenes.

LETRA N

Navegador

Son programas de ordenador diseñados para facilitar la visualización de páginas Web en Internet.

Nombre de usuario

No tiene por que ser el nombre real sino cualquier identificador para el programa que se esté utilizando.

LETRA O

Ofimática

Rama de la informática dirigida al trabajo genérico de oficinas y los programas utilizados, tipo procesadores de texto, hojas del cálculo, etc.

On-Line

Se refiere a cualquier documento, archivo o servicio de la red.

Outlook

Es un programa de correo electrónico de la empresa Microsoft, y forma parte de la suite Microsoft Office. Es uno de los programas más utilizados para gestionar el correo electrónico.

LETRA P

Página principal

Se suele entender dentro del entorno de Internet, y es aquella que sirve de inicio para el resto del sitio. Generalmente suele denominarse "Index" con las extensiones htm o html.

Página Web

Forma de denominar a las hojas creadas con html que se manejan dentro del entorno WWW.

Paypal

PayPal es una empresa estadounidense, perteneciente al sector del comercio electrónico por Internet que permite la transferencia de dinero entre usuarios que tengan correo electrónico, una alternativa al tradicional método en papel como los cheques o giros postales. PayPal también procesa peticiones de pago en comercio electrónico y otros servicios Webs, por los que cobra un porcentaje al vendedor.

Periférico

Son dispositivos que se utilizan como medio de comunicación entre el ordenador y el mundo exterior. Podemos destacar entre periféricos de entrada, periféricos de salida, y periféricos de entrada y salida, según sirvan para que nosotros nos comuniquemos con el ordenador introduciendo órdenes o datos, según él se comunique con nosotros mostrándonos resultados, o ambas cosas.

Píxeles

Punto o elemento más pequeño que se puede representar en la pantalla de un ordenador.

Placa Base o Madre: Es el lugar donde están conectados todos los componentes internos del ordenador: microprocesador, memoria RAM, disco duro, puertos a los que se conectan los periféricos como el ratón o el teclado, etc.

Plug & Play

Sistema y tipos de dispositivos que permiten ser reconocidos y configurados por el ordenador de manera automática.

Pop-up

Son ventanas no abiertas por el usuario que aparecen al acceder a una página. Normalmente aparecen el parte superior de la página. El usuario puede cerrar este tipo de ventanas. El pop under aparece al cerrar una ventana del navegador. Normalmente son utilizados con fines publicitarios.

Power Point

Herramienta de creación de presentaciones, integrada en el paquete MS Office.

Procesador de textos: Programas con capacidad para la creación de documentos incorporando texto con multitud de tipos y tamaños, gráficos, efectos artísticos y prácticamente todo lo que se hacía con los programas de imprenta tradicionales.

Programa

Instrucciones que varían según el lenguaje que se utiliza, pero cuyo fin es el de controlar las acciones que tiene que llevar a cabo el ordenador y sus periféricos.

Protocolo

Se denomina protocolo a un conjunto de normas y/o procedimientos para la transmisión de datos que ha de ser observado por los dos extremos de un proceso comunicacional (emisor y receptor). Estos protocolos "gobiernan" formatos, modos de acceso, secuencias temporales, etc.

Proveedor

Compañía que ofrece el servicio de intermediario para la conexión de nuestro ordenador a Internet a través del teléfono.

Puerto

Sirven para conectar los periféricos al ordenador. Existen varios tipos:

- Puerto paralelo: se utiliza principalmente para la conectar la impresora.

- Puerto Serie: Para conectar el ratón o el módem.

-Puerto USB: Se ha convertido en un conector muy popular y estandarizado por su comodidad. El dispositivo conectado es reconocido inmediatamente, sin necesidad de reiniciar el ordenador. Hoy en día todos los dispositivos se pueden conectar por USB, incluso las cámaras digitales, móviles.

LETRA R

Redes sociales

Las redes sociales en Internet son comunidades virtuales donde sus usuarios interactúan con personas de todo el mundo con quienes encuentran gustos o intereses en común. Funcionan como una plataforma de comunicación que permite conectar gente que se conoce o que desea conocerse y que les permite compartir contenido, como fotos y vídeos, en un lugar de fácil acceso y administrado por los propios usuarios.

Resolución

Se denomina resolución al número de columnas de pixels que pueden ser mostradas en una pantalla. La resolución se puede medir en columnas de pixels: a más resolución, mayor calidad gráfica.

Router

Se denomina así al dispositivo capaz de dirigir la información, dividida en paquetes, por el camino más idóneo, examinando la dirección y el destino y utilizando mapas de red.

LETRA S

Safari

Es un navegador Web desarrollado por la empresa Apple Inc. Está disponible para los sistemas operativos de los ordenadores Mac y para los teléfonos móviles iPhone y para la Tableta iPad.

Servidor

Se denomina así al ordenador que se encarga de suministrar lo necesario a una red, dependiendo de cual sea la finalidad de ésta.

Software

Conjunto de programas de distinto tipo (sistema operativo y aplicaciones diversas) que hacen posible operar con el ordenador.

LETRA T

Tabla

Una o más filas de celdas de una página que se utilizan para organizar el diseño de una página Web o para ordenar datos sistemáticamente.

Tableta

Es la forma y funcionalidad de un nuevo dispositivo portátil que tiene unas prestaciones muy similares a las de un ordenador pero que se presenta en una sola pieza, sin teclado físico, con un diseño plano, fino y compacto el cual contiene todos los componentes esenciales para su funcionamiento de forma autónoma, todo ello comprimido en un único aparato que está compuesto por pantalla táctil, CPU, puertos y conectores, así como unidades de almacenamiento.

Tarjeta gráfica

Es la que se encarga de convertir las señales que recibe de la placa base a las que la pantalla es capaz de mostrar.

Tarjeta de sonido

Es un accesorio del ordenador. Reproduce música, voz o cualquier señal audio. A la tarjeta de sonido se le pueden conectar altavoces, auriculares y un micrófono.

TCP-IP (*Transmision Control Protocol-Internet Protocol*)

Protocolo en el que se basa Internet y que en realidad consiste en dos. El TCP, especializado en fragmentar y recomponer paquetes, e IP para direccionarlos hasta su destino.

Teclado

Es el periférico más habitual para la introducción manual de datos en el ordenador.

Tráfico Web

Se refiere a la cantidad o nivel de visitas que recibe un determinado sitio Web. Es la representación de las visitas hechas por los usuarios que acceden a un sitio Web. Es un grupo de métricas que pueden ser medidas con herramientas de analítica Web.

Twitter

Es un servicio de microblogging, con sede en San Francisco, California y con filiales en San Antonio, Texas y Boston, Massachusetts, en Estados Unidos. Twitter, Inc. fue creado originalmente en California, pero está bajo la jurisdicción de Delaware desde 2007. Desde que Jack Dorsey lo creó en marzo de 2006 y lo lanzó en julio del mismo año, la red ha ganado popularidad mundialmente y se estima que tiene más de 200 millones de usuarios, generando 65 millones de tweets al día. Maneja más de 800.000 peticiones de búsqueda diarias.

LETRA U

URL

Se conoce por este nombre a las direcciones dentro de Internet, normalmente, aunque no necesariamente, refiriéndonos a páginas Web. El tipo más común de dirección URL es http://, que proporciona la dirección Internet de una página Web.

USB

Bus serie universal. La característica principal de este bus reside en que los periféricos pueden conectarse y desconectarse con el equipo en marcha, configurándose de forma automática.

User Experience

Es la denominación en inglés de la experiencia de usuario que viene dado por el conjunto de factores y elementos relativos a la interacción del usuario, con un entorno o dispositivo concretos, cuyo resultado es la generación de una percepción positiva o negativa de dicho servicio, producto o dispositivo. La experiencia de usuario depende no sólo de los factores relativos al diseño (hardware, software, usabilidad, diseño de interacción, accesibilidad, diseño gráfico y visual, calidad de los contenidos, buscabilidad o encontrabilidad, utilidad, etc) sino además de aspectos relativos a las emociones, sentimientos, construcción y transmisión de la marca, así como a la confiabilidad del producto.

Usuario

Persona que interactúa con la computadora a nivel de aplicación.

LETRA V

Virus

Es un programa informático que se ejecuta en el ordenador sin previo aviso y que puede corromper el resto de los programas, ficheros de datos e, incluso el mismo sistema operativo. Los virus no provocan daños en el hardware del ordenador. Sin embargo si que pueden borrar los datos del disco duro.

LETRA W

Web

Por éste término se suele conocer a WWW (World Wide Web), creado por el Centro Europeo de Investigación Nuclear como un sistema de intercambio de información y que Internet ha estandarizado. Supone un medio cómodo y elegante, basado en multimedia e hipertexto, para publicar información en la red. Inicial y básicamente se compone del protocolo http y del lenguaje html.

Web 2.0

Se refiere a una nueva generación de Webs basadas en la creación de páginas Web donde los contenidos son compartidos y producidos por los propios usuarios del portal. Las redes sociales están basadas en este tipo de Web donde los contenidos son producidos y compartidos por los mismos usuarios.

WebMail

Es un email basado en Web. Una cuenta de correo que puede enviar, recibir y leerse desde cualquier lugar mediante un navegador Web.

WI-FI (Wireless Fidelity)

Tecnología relativamente estandarizada para redes inalámbricas que utilizan ondas de radio de corto alcance.

Wireless

Redes sin hilos. Las redes sin cables permiten compartir periféricos y acceso a Internet.

Windows

Sistema operativo de 32 bits, de Microsoft, elaborado al estilo de ventanas y sistema gráfico (tradicionalmente utilizado por otros sistemas). El más utilizado actualmente es el Windows XP, aunque con la salida en octubre del 2009 de la entrega Windows 7, bajó considerablemente la cantidad de usuarios que usan Windows XP. En el 2011 apareció el primer release de Windows 8 y en el 2012, su versión definitiva. Windows 8 cuenta con una interfaz revolucionaria dirigida a los dispositivos portátiles como tabletas y teléfonos inteligentes.

WWW (World Wide Web)

Telaraña o malla mundial. Sistema de información con mecanismos de hipertexto creado por investigadores del CERN. Los usuarios pueden crear, editar y visualizar documentos de hipertexto.

LETRA X

Xbox

Es una consola de videojuegos desarrollada por Microsoft, que pertenece a la sexta generación de consolas. Su primer lanzamiento fue el 15 de noviembre de 2001 en Estados Unidos, el 22 de febrero de 2002 en Japón y 14 de marzo de 2002 en Europa, Asia y Oceanía. Cuenta con una versión reducida de Windows 2000, además fue la primera consola con disco duro y con posibilidad de descarga de actualizaciones a través del Xbox Live. Su sucesora fue la Xbox 360.

LETRA Y

Yahoo Buscador

Es uno de los 3 principales motores de búsqueda en el Mundo. En la década de los noventas era el buscador más popular. Ahora se encuentre como segunda opción a nivel mundial.

Youtube

Es un portal Web en el cual los usuarios pueden ver, subir y compartir vídeos. Fue creado en 2005 y en el año 2006 es comprado por Google. Es una de las 10 páginas con más tráfico a nivel mundial. Cualquier usuario puede crear gratuitamente una cuenta y cargar sus videos creados. Muchas empresas utilizan Youtube como herramienta de promoción de sus productos y servicios.

Índice alfabético